Dépôt légal 1er trimestre 1987
Bibliothèque nationale du Québec
ISBN-2-920675-11-7

La Grande Collection Micro-Ondes

Le Boeuf II

Grolier Limitée

MONTRÉAL, QUÉ.

Introduction

Comment utiliser ce livre
Conçus pour vous faciliter la tâche, les livres de la *Grande Collection* présentent leurs recettes d'une manière uniforme.

Nous vous suggérons de consulter en premier lieu la fiche signalétique de la recette. Vous y trouverez tous les renseignements dont vous avez besoin pour décider si vous êtes en mesure d'entreprendre la préparation d'un plat : temps de préparation, coût par portion, degré de complexité, nombre de calories par portion et autres renseignements pertinents. Par exemple, si vous ne disposez que de 30 minutes pour préparer le repas du soir, vous saurez rapidement quelle recette convient à votre horaire.

La liste des ingrédients est toujours clairement séparée du corps du texte et, lorsque l'espace nous le permettait, nous avons ajouté une photographie de ces éléments regroupés : vous disposez donc d'une référence visuelle. Cet aide-mémoire, qui vous évite de relire la liste, constitue une autre façon d'économiser votre temps précieux.

Par ailleurs, pour les recettes comportant plusieurs étapes de préparation, nous avons illustré celles qui nous semblaient les plus importantes pour le succès de la recette ou la présentation du plat.
La cuisson de tous les plats présentés est faite dans un four à micro-ondes de 700 W. Si la puissance de votre four est différente, consultez le tableau de conversion des durées de cuisson que vous trouverez à la page 6.
Soulignons que le temps de cuisson donné dans le livre est un temps minimal. Au besoin, si la cuisson du plat ne vous semble pas suffisante, vous pourrez le remettre au four quelques minutes. En outre, le temps de cuisson peut varier selon la teneur en humidité et en gras, l'épaisseur, la forme, voire même la provenance des aliments. Aussi, avons-nous prévu, pour chaque recette, un espace vierge dans lequel vous pourrez inscrire le temps de cuisson vous convenant le mieux. Cela vous permettra d'ajouter une touche personnelle aux recettes que nous vous suggérons et de reproduire sans difficulté vos meilleurs résultats.

Bien que nous ayons regroupé les informations techniques en début de volume, nous avons parsemé l'ouvrage de petits encadrés, appelés **TRUCS MO**, expliquant des techniques particulières. Concis et clairs, ils vous aideront à mieux réussir vos mets.

Dès la préparation de la première recette, vous découvrirez à quel point la cuisine micro-ondes fait appel à des techniques simples que, dans bien des cas, vous utilisiez déjà pour la cuisson au moyen d'une cuisinière traditionnelle.
Si pour vous, comme pour nous, cuisiner est un plaisir, le faire au four à micro-ondes agrémentera encore davantage vos préparations culinaires.
Mais c'est déjà prêt.
À table.

L'éditeur

Table des matières

La Grande Collection Micro-Ondes se veut une encyclopédie complète de l'art culinaire adapté à la cuisson au four à micro-ondes. Pour la première fois, les ménages québécois pourront consulter un ouvrage exhaustif, consacré à la cuisson micro-ondes, entièrement conçu et réalisé au Québec.

Chacun des vingt-six tomes se concentre sur un thème précis, ce qui en facilite la consultation. Ainsi, par exemple, si vous cherchez des idées pour apprêter une volaille, vous n'aurez qu'à vous référer à l'un des deux livres consacrés à cette question. Il est à noter que chaque livre s'accompagne de son index et que le dernier ouvrage de la Grande Collection présente un index général de l'ensemble.

Facile à consulter, la Grande Collection Micro-Ondes, qui offre plus de mille deux cents recettes, saura devenir un outil culinaire aussi utile et indispensable que votre four à micro-ondes.
Bonne lecture et, surtout, bon appétit !

Niveaux de puissance

Toutes les recettes de ce livre ont été testées dans un four de 700 W. Comme il existe un grand nombre de fours à micro-ondes dans le commerce, avec des niveaux de puissance différents, et que les appellations de ces niveaux varient d'un fabricant à l'autre, nous avons préféré donner des pourcentages. Pour adapter les niveaux de puissance donnés, consultez le tableau ci-contre et le livret d'utilisation afférent à votre four.

Ainsi, si vous possédez un four de 500 W ou de 600 W, vous devrez majorer les temps de cuisson mentionnés d'environ 30 %. Précisons que plus la durée de cuisson est brève, plus la majoration peut être importante en termes de pourcentage. Le chiffre de 30 % ne représente donc qu'une moyenne. Consultez le tableau ci-contre pour vous aider à ce chapitre.

Tableau d'intensité

FORT - HIGH : 100 % - 90 %	Légumes (sauf pommes de terre bouillies et carottes) Soupes Sauces Fruits Coloration de la viande hachée Plat à rôtir Maïs soufflé
MOYEN - FORT - **MEDIUM HIGH : 80 % - 70 %**	Décongélation rapide de mets déjà cuits Muffins Quelques gâteaux Hot dogs
MOYEN - MEDIUM : 60 % - 50 %	Cuisson des viandes tendres Gâteaux Poissons Fruits de mer Oeufs Réchauffage des aliments Pommes de terre bouillies et carottes
MOYEN - DOUX - **MEDIUM LOW : 40 %**	Cuisson de viandes moins tendres Mijotage Fonte du chocolat
DÉCONGÉLATION - **DEFROST : 30 %** **DOUX - LOW : 20 % - 30 %**	Décongélation Mijotage Cuisson de viandes moins tendres
MAINTIEN - **WARM : 10 %**	Maintien au chaud Levage de la pâte à pain

700 W	600 W*
5 s	11 s
15 s	20 s
30 s	40 s
45 s	1 min
1 min	1 min 20 s
2 min	2 min 40 s
3 min	4 min
4 min	5 min 20 s
5 min	6 min 40 s
6 min	8 min
7 min	9 min 20 s
8 min	10 min 40 s
9 min	12 min
10 min	13 min 30 s
20 min	26 min 40 s
30 min	40 min
40 min	53 min 40 s
50 min	66 min 40 s
1 h	1 h 20 min

* Il y a peu de différence entre les durées applicables aux fours de 500 watts et ceux de 600 watts.

Table de conversion

Table de conversion des principales mesures utilisées en cuisine	Mesures liquides	Mesures de poids
	1 c. à thé . . . . 5 ml	2,2 lb . . . . 1 kg (1 000 g)
	1 c. à soupe . . . . 15 ml	1,1 lb . . . . 500 g
		0,5 lb . . . . 225 g
	1 pinte . . . (4 tasses) . . . 1 litre	0,25 lb . . . . 115 g
	1 chopine . (2 tasses) . 500 ml	1 oz . . . . 30 g
	1 tasse . . . . 250 ml	
	1/2 tasse . . . . 125 ml	
	1/4 de tasse . . . . 50 ml	

Équivalence métrique des températures de cuisson		
	49°C . . . . 120°F	120°C . . . . 250°F
	54°C . . . . 130°F	135°C . . . . 275°F
	60°C . . . . 140°F	150°C . . . . 300°F
	66°C . . . . 150°F	160°C . . . . 325°F
	71°C . . . . 160°F	180°C . . . . 350°F
	77°C . . . . 170°F	190°C . . . . 375°F
	82°C . . . . 180°F	200°C . . . . 400°F
	93°C . . . . 190°F	220°C . . . . 425°F
	107°C . . . . 200°F	230°C . . . . 450°F

Les lecteurs noteront que, dans les recettes, nous convertissons 250 ml en 1 tasse ou encore 450 g en 1 lb. Cela s'explique par le fait qu'en cuisine, il est peu pratique de donner des conversions arithmétiques justes. En effet, les instruments de mesure ne permettent pas d'obtenir des quantités aussi précises mais peu commodes que 454 g (1 lb), par exemple. Nous devons donc utiliser des équivalences approximatives, ce qui peut donner lieu à certaines contradictions arithmétiques. Par contre, du fait que les quantités sont toujours exprimées dans les deux systèmes de mesure (métrique et impérial), cette façon de procéder ne devrait poser aucune difficulté.

Les symboles

Légende des pictogrammes

Dans le but de faciliter la lecture des fiches signalétiques des recettes, nous avons prévu des pictogrammes indiquant le niveau de complexité et le coût.

Le symbole 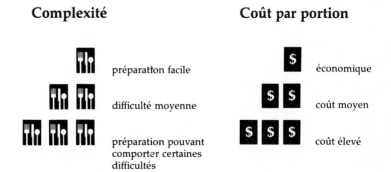 vous rappelle d'inscrire votre temps de cuisson dans l'espace prévu à cette fin.

Complexité

préparation facile

difficulté moyenne

préparation pouvant comporter certaines difficultés

Coût par portion

$ économique

$ $ coût moyen

$ $ $ coût élevé

Le bœuf : du labour à la table

Aujourd'hui, la plus grande qualité du bœuf est la saveur de sa viande bien qu'autrefois le paysan le prisât d'abord pour sa grande force et son opiniâtreté.

Mais, même animal de trait, le bœuf a toujours occupé une place royale dans le menu de nos ancêtres. Déjà, il y a plus de 80 siècles, les Turcs et les Macédoniens le domestiquaient pour consommer sa chair.

Symbole antique de la force et de la fécondité, le bœuf continue à régner sur nos habitudes alimentaires. Peut-on imaginer en effet un repas dominical sans un superbe rôti bien bardé, placé orgueilleusement au centre de la table ? De même, serait-il concevable que l'on soit privé du cérémonial que représente le découpage d'une belle pièce de bœuf, rituel présidé, le plus souvent, par le *chef* de la famille ?

Le bœuf, on le constate tous les jours, est bien plus qu'une viande ; il est un fait de culture qui caractérise tant notre alimentation que nos us et coutumes. D'ailleurs, certaines régions du monde ne doivent-elles pas leur renommée à la qualité de leur cheptel bovin ? Il suffit, à ce chapitre, d'évoquer le bœuf élevé dans l'Ouest canadien pour s'en convaincre. Par ailleurs, est-il possible de faire le touriste à Paris sans déguster un bifteck frites dans un petit restaurant d'arrondissement ou attablé à la terrasse d'un café ?

Universellement consommée et ayant connu de longs siècles de raffinements culinaires, la viande de bœuf s'apprête d'innombrables manières. Et ce deuxième livre de *La Grande Collection Micro-Ondes* consacré au bœuf en témoigne avec éloquence. Vous y découvrirez de nouveaux apprêts, des suggestions de sauces convenant particulièrement bien à la saveur et aux modes de cuisson des diverses coupes du bœuf et, enfin, une proposition de table d'hôte. Soulignons que nous avons inclus dans ce livre quelques recettes portant sur les abats du bœuf. Souvent oubliés ou méconnus, ces parties de l'animal vous réserveront des surprises plus agréables les unes que les autres. Les premières pages de ce livre sont consacrées à un rappel des diverses techniques concernant la conservation, la décongélation et la cuisson du bœuf. Pour des renseignements plus détaillés, vous pourrez consulter le tome I de *La Grande Collection*.

Il ne nous reste plus qu'à souhaiter que vous prendrez autant de plaisir à lire et à consulter ce livre de recettes que vous en aurez à déguster les préparations qu'il vous propose.

Les coupes du bœuf

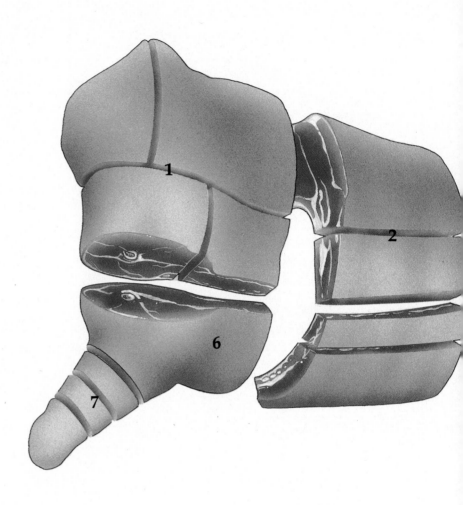

1. L'épaule
Tendreté : moyenne ou
faible
Demande une cuisson
longue en milieu humide :
en ragoût, en pot-au-feu,
braisé.

2. Les côtes
Tendreté : grande ou faible
Rôties ou braisées, leur
partie supérieure donne
aussi un bon bifteck. La
partie inférieure convient
aux pot-au-feu, cocottes,
plats braisés.
**3. La longe (aloyau, filet,
surlonge)**
Tendreté : grande
Se sert en grillade, en rôti
ou en bifteck.

4. La cuisse
Tendreté : moyenne ou
faible
Se sert surtout rôtie, ou
braisée (gîte à la noix, partie
intérieure de la tranche et
du rond).

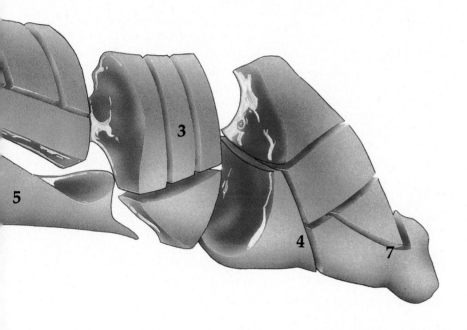

5. Le flanc
Tendreté : faible
Se sert braisé ou grillé en bifteck (dans ce cas, on le fera souvent mariner pour en attendrir les fibres).

6. La poitrine et la pointe de poitrine
Tendreté : faible
Demandent une cuisson longue en milieu humide : braisées, pochées, en pot-au-feu ou en ragoût.

7. Le jarret
Tendreté : faible
Se sert braisé ou en ragoût. Son os à moelle donne aux sauces, soupes et ragoûts un arôme savoureux.

Le bœuf et le four à micro-ondes

La décongélation et la cuisson au four à micro-ondes offrent de nombreux avantages à la famille moderne. En effet, cette nouvelle technologie permet non seulement de sauver un temps précieux mais aussi de bien mettre en valeur la saveur naturelle des aliments. Or, pour profiter de tels atouts et jouir pleinement de votre appareil, le respect de certaines règles simples décongélation et la cuisson s'impose. Et, comme vous le constaterez, loin de représenter un surplus de travail, elles vous faciliteront la tâche.

La décongélation

Qu'il s'agisse de décongeler une pièce de bœuf, un bifteck, du bœuf haché, des croquettes ou des cubes, les principes de base demeurent les mêmes et sont d'une grande simplicité.
Par ailleurs, l'action des micro-ondes est la même pour la décongélation et la cuisson : les micro-ondes pénètrent l'aliment et provoquent l'accélération du mouvement des molécules. Ce faisant, ces dernières s'entrechoquent, se frottent les unes contre les autres, ce qui entraîne une augmentation de la température interne de l'aliment. Dans le cas des aliments congelés, la chaleur s'élève graduellement au-dessus du point de congélation. Par la suite,

c'est le processus de cuisson Proprement dit qui s'amorce. Or, dans la plupart des fours à micro-ondes, l'énergie des ondes n'est pas également distribuée. De plus, les caractéristiques mêmes des aliments (teneur en gras, parties plus charnues que d'autres, présence d'os) favorisent ou ralentissent leur action de telle sorte qu'à la cuisson, une partie d'un bifteck par exemple serait saignante et une autre bien cuite, ce qui est inacceptable selon nos exigences culinaires. Il faut donc chercher à pallier cette répartition inégale de l'énergie. Comme celle-ci a tendance à s'éloigner du centre du four, on placera les parties les plus charnues du morceau de viande vers l'extérieur du plat. Au centre, on disposera les

parties osseuses ou grasses de manière à leur assurer une décongélation plus lente. Par ailleurs, pour que la température interne des aliments puisse se répartir uniformément, il est recommandé de diviser le temps de décongélation en courtes périodes entrecoupées d'une durée de repos égale au quart du cycle complet de décongélation.
Par ailleurs, pour éviter que certaines parties de la viande ne soient en contact avec leur jus, ce qui en accélérerait la décongélation et pourrait même provoquer une cuisson précoce, déposez la pièce soit sur une clayette (plaque à bacon), soit sur une assiette ou une soucoupe renversée dans un plus grand plat.

Décongélation selon la coupe et le poids

Coupe	Temps de décongélation à 50 %	Temps de décongélation à 25 %
Côte de bœuf croupe, noix de ronde, pointe de surlonge	12 à 14/min/kg (5 1/2 à 6 1/2 min/lb)	18 à 27 min/kg (9 à 13 min/lb)
Filets, rôti de palette, gros biftecks	7 1/2 à 9 1/2 min/kg (3 1/2 à 4 1/2 min/lb)	19 à 20 min/kg (7 à 9 min/lb)
Petits biftecks	6 1/2 à 9 min/kg (3 à 4 min/lb)	13 à 19 min/kg
Cubes de bœuf 2,5 cm (1 po)	7 à 12 min/kg) (3 à 5 min/lb)	12 à 22 min/kg (5 à 10 min/lb)
Bœuf haché	7 1/2 à 12 min/kg (3 1/2 à 5 min/lb)	12 à 17 min/kg (5 à 7 min/lb)

* Ne pas oublier de diviser le temps de décongélation indiqué en deux ou trois périodes d'exposition aux micro-ondes, entrecoupées de périodes de repos de durée équivalente à un quart du temps total de décongélation.

Dans le cas des rôtis et pièces de forme irrégulière, recouvrez les parties osseuses, grasses ou moins charnues ainsi que les extrémités de papier d'aluminium . Cela aura pour effet de ralentir l'action des micro-ondes car les os réfléchissent les micro-ondes, ce qui accélère la décongélation de la viande qui les avoisine et les matières grasses les attirent vers elles.

Rien n'est plus simple que la décongélation des biftecks. Placez le morceau de viande au four dans son emballage. Faites décongeler jusqu'à ce que la viande puisse être déballée. Recouvrez de papier d'aluminium toute partie décongelée et remettez le bifteck au four, en le retournant, pour la seconde période de décongélation. Cette période écoulée, laissez reposer environ 5 minutes. Le bifteck est complètement décongelé si vous pouvez le transpercer avec la pointe d'une fourchette.

La cuisson

Le temps de cuisson d'une pièce de bœuf au four à micro-ondes dépend de différents facteurs : sa coupe, son poids, sa teneur en humidité et en gras, et, bien sûr, sa tendreté ; il variera aussi selon la température interne de la viande et l'intensité de la cuisson.

Cuisson du bœuf

Aliment	Récipient	Couvercle	Intensité de cuisson ou température interne	
Bœuf haché	cocotte	non	100 %	1 kg : 8 à 13 min (1 lb : 4 à 6 min) (1 1/2 lb : 7 à 9 min)
Bœuf en morceaux (pour plats mijotés ou soupes)	cocotte	oui	50 %	1 kg : 45 min (1 lb : 20 min)
Boulettes	assiette circulaire ou plat rectangulaire	papier ciré	100 %	1 kg : 18 à 28 min (1 lb : 9 à 12 min) (1 1/2 lb) : 10 à 13 min)
Pain de viande	assiette circulaire ou plat rectangulaire creux	pellicule plastique	100 % 70 % ou 75°C (170°F) de température interne	pain rond : 15 à 20 min pain allongé : 17 à 19 min
Rôti braisé	plat rectangulaire ou cocotte	couvercle ou pellicule plastique	50 %	43 à 55 min/kg (18 à 23 min/lb)
Bœuf mijoté (coupes de tendreté moyenne)	cocotte	couvercle ou pellicule plastique	50 %	1 kg : 45 min (1 lb : 20 min)
Rôti de coupe tendre	plat rectangulaire avec grille		70 % bleu : 12 min/kg (5 min/lb) saignant : 14 min/kg (6 min/lb) à point : 17 min/kg (7 min/lb) bien cuit : 19 min/kg (8 min/lb) ou en utilisant la sonde thermique : bleu : 40°C (100°F) saignant : 45°C (110°F) à point : 50°C (125°F) bien cuit : 60°C (140°F)	

Bien que le temps de cuisson soit donné pour chaque recette du présent livre, le tableau de la page 13 vous aidera à adapter vos recettes traditionnelles. Cependant, si vous désirez vérifier en cours de route le degré de cuisson de votre rôti, insérez une fourchette jusqu'au centre de la pièce, retirez-la et touchez-la : si elle est tiède et que le sang coule, c'est qu'il est saignant. Par contre, si la pointe est chaude et l'écoulement de sang est moindre, le rôti est cuit à point.

Pour une plus grande précision, vous pouvez utiliser une sonde thermique. Si la cuisson dans votre four est programmable, au moment d'enfourner votre pièce de viande, insérez la sonde, jusqu'en son centre. Réglez la température interne correspondant au degré de cuisson désiré. Lorsque la température interne aura atteint le degré préréglé, l'émission de micro-ondes cessera automatiquement. Si vous utilisez un thermomètre à viande ordinaire, ne le laissez jamais dans le four pendant la cuisson : il pourrait provoquer une étincelle et endommager votre four.

Si par ailleurs vous voulez vérifier la cuisson d'un morceau braisé, enfoncez la pointe d'une fourchette dans la viande : si la chair se défait facilement, c'est qu'elle est cuite à point. Pour obtenir une viande savoureuse et juteuse, laissez-la reposer environ 10 minutes avant de servir.

La conversion

Adopter un nouvel appareil comporte toujours, dans la période qui précède son utilisation, quelques moments d'appréhension, de questionnement et de doute. Pourtant, une fois la glace brisée, on lui découvre souvent des avantages insoupçonnés alors que certaines craintes s'avèrent, tout compte fait, injustifiées. Vous croyez peut-être encore qu'en choisissant le mode de cuisson par micro-ondes, vous devrez vous monter une toute nouvelle collection de recettes. Au contraire, vous constaterez très rapidement que la plupart de vos recettes traditionnelles s'adaptent très bien à la cuisson aux micro-ondes. Qui plus est, les modifications à apporter sont souvent minimes, comme le démontre la recette de bœuf bourguignon présentée ici. Lisez attentivement ce qui suit concernant les ingrédients, la technique et les ustensiles. Vous apprivoiserez le tout en peu de temps, et vous deviendrez vite un chef émérite.

Les ingrédients : les éléments liquides ralentissent la cuisson aux micro-ondes, alors que les matières grasses l'accélèrent. Pour adapter une recette traditionnelle, il faut donc réduire la quantité de liquides et de matières grasses, afin d'obtenir un juste équilibre entre les deux.

La technique : pour obtenir une cuisson uniforme, il est nécessaire de faire pivoter le plat ou le récipient d'un demi-tour en cours de cuisson. À cet effet, observez scrupuleusement les indications fournies dans les recettes comparables à celles que vous désirez adapter.

Le temps de cuisson : à ce chapitre, le four à micro-ondes présente un grand avantage. Par rapport au temps de cuisson au four traditionnel, le temps de cuisson du bœuf aux micro-ondes est réduit du tiers ou même de moitié.

Les ustensiles : à part les récipients métalliques ou garnis de métal, tous les ustensiles qui résistent à la chaleur, en verre et en plastique, peuvent être utilisés dans le four à micro-ondes.

Bœuf bourguignon (au four traditionnel*)

Ingrédients
1,1 kg (2 1/2 lb) de cubes de ronde de bœuf
50 ml (1/4 tasse) de farine
5 ml (1 c. à thé) de sel
8 grains de poivre
50 ml (1/4 tasse) d'huile
125 ml (1/2 tasse) de poireaux tranchés
125 ml (1/2 tasse) d'oignons tranchés
125 ml (1/2 tasse) de carottes tranchées mince
1 gousse d'ail émincée
30 ml (2 c. à soupe) de persil
30 ml (2 c. à soupe) de cognac
2 clous de girofle
1 ml (1/4 c. à thé) de marjolaine
paprika
750 ml (1 bouteille) de vin rouge sec

Préparation
— Dans une tasse, mélanger la farine, le sel et le poivre.
— **Chauffer la poêle, y ajouter l'huile et faire saisir les cubes de bœuf.**
— Fariner le bœuf doré; bien mélanger. **Transférer dans une marmite.**
— Ajouter les légumes et le vin. **Amener à ébullition.**
— Chauffer le cognac, le flamber et le verser sur la viande. Assaisonner; bien mélanger.
— Couvrir. **Cuire au four à 150°C (300°F) ou sur feu modéré de 2 1/2 à 3 heures.**
— **Servir.**

* **Les modifications sont indiquées en caractères gras.**

Bœuf bourguignon (au four à micro-ondes*)

Ingrédients
1,1 kg (2 1/2 lb) de cubes de ronde de bœuf
50 ml (1/4 tasse) de farine
5 ml (1 c. à thé) de sel
8 grains de poivre
50 ml (1/4 tasse) d'huile
125 ml (1/2 tasse) de poireaux tranchés
125 ml (1/2 tasse) d'oignons tranchés
125 ml (1/2 tasse) de carottes tranchées mince
1 gousse d'ail émincée
30 ml (2 c. à soupe) de persil
30 ml (2 c. à soupe) de cognac
2 clous de girofle
1 ml (1/4 c. à thé) de marjolaine
paprika
375 ml (1/2 bouteille) de vin rouge sec

Préparation
— Dans une tasse, mélanger la farine, le sel et le poivre.
— **Préchauffer le plat à rôtir pendant 7 minutes à 100%; ajouter l'huile et faire revenir les cubes de bœuf.**
— Fariner le bœuf doré; bien mélanger. **Si possible, transférer les aliments dans le récipient à cuisson.**
— Ajouter les légumes et le vin. **Couvrir et cuire à 100% de 4 à 5 minutes, ou jusqu'à ébullition complète.**
— Chauffer le cognac, le flamber et le verser sur la viande. Assaisonner; bien mélanger.
— Couvrir. **Cuire à 50% de 60 à 70 minutes, ou jusqu'à ce que la viande soit tendre. Remuer à la mi-cuisson.**
— **Sans découvrir, laisser reposer 10 minutes. Servir.**

* **Les modifications sont indiquées en caractères gras.**

Le four à micro-ondes : un atout pour la planification des repas

Du congélateur à la table

Les changements technologiques et le rythme trépidant de la vie moderne ne cessent de bouleverser nos habitudes et de bousculer nos horaires déjà surchargés. Une organisation serrée à la fois du temps de travail et des heures de loisir s'impose. À cet égard, le four à micro-ondes peut être un outil précieux voire même indispensable. Il peut en effet transformer en un jeu d'enfant les repas et leur planification.

Pourquoi, tant qu'à mettre la main à la pâte, ne pas doubler les quantités des recettes que vous alliez de toute manière préparer ? Quoi de plus pratique en effet qu'une recette de base telle une sauce à la viande et aux tomates ? Simple à préparer et peu coûteuse, cette recette est encore meilleure préparée en quantité digne de nos grandes familles d'autrefois. Partagez-la en plusieurs portions, que vous congelez en prévision de ces journées où le temps et le désir de faire la popote ne seront pas au rendez-vous. Libre à vous de l'adapter selon le goût du moment, tantôt pour en napper des pâtes, plus tard pour farcir un légume, ou encore pour garnir une omelette ou un gratin. Vous pourrez également, pour en modifier le goût ou la consistance, y ajouter des ingrédients tels que des épices, des légumes, du fromage ou même du vin.

Tous sont d'accord : les aliments congelés semblent fraîchement cuits et conservent toute leur saveur lorsqu'ils passent par le four à micro-ondes. Mais, vos économies potentielles ne se limitent pas au temps ; elles peuvent aussi être budgétaires. En effet, la décongélation aux micro-ondes étant si rapide, vous pouvez vous permettre une meilleure gestion de votre congélateur que vous ne craindrez plus de remplir. Vous pourrez ainsi profiter pleinement des rabais et des promotions, et préparer de bons petits plats avec les restes.

Qui plus est, votre vie sociale sera plus agréable : vos amis ne vous prendront jamais à l'improviste et la préparation des repas ne vous retiendra pas dans la cuisine. Vous pourrez ainsi cultiver l'art de la conversation tout en laissant faire le travail par votre four à micro-ondes.

Si vous procédez avec méthode et adoptez les modes de conservation appropriés à chaque type d'aliments, tout en respectant les techniques de décongélation et de cuisson, vous ferez un usage optimal de votre appareil et en tirerez de grands avantages. Par exemple, il n'en tient qu'à vous de congeler vos mets ou aliments dans des plats ou récipients allant au four à micro-ondes. Non seulement sauverez-vous du temps mais vous conserverez aux aliments toute leur saveur première.

Pour planifier des repas complets

Nombre d'utilisateurs d'un four à micro-ondes ne le mettent à profit que pour la décongélation et le réchauffage rapides. Or, à l'instar d'un four traditionnel, le four à micro-ondes peut servir à la préparation de repas complets. Cela demande moins de temps et la planification ne recèle aucun secret ou difficulté particulière.

À l'heure de la cuisson, voyez à faire cuire en premier lieu les aliments qui seront servis froids, puis ceux qui demandent un plus long temps de cuisson et de repos. Viendront ensuite les légumes d'accompagnement et enfin les aliments qui cuisent rapidement.

La cuisine devient plus accessible, fonctionnelle et agréable. Et comme votre horaire sera, nous en sommes convaincus, moins surchargé, vous pourrez enfin consacrer vos heures de loisir... à votre loisir.

Quantité recommandée selon la coupe

Coupe	Quantité par portion
Bifteck et rôti désossé	115 g à 140 g (1/4 à 1/3 lb)
Rôti de côtes et morceaux à braiser	140 à 225 g (1/3 à 1/2 lb)
Bifteck de ronde	140 g à 225 g (1/3 à 1/2 lb)
Coupe avec grande quantité de gras et d'os (croupe, bout de côtes, jarret)	450 g (1 lb)

Lors de la planification de vos achats, calculer les quantités non pas en fonction d'un chiffre global mais bien selon le nombre de convives et de tablées. Par exemple, si vous désirez acheter du bœuf haché pour le mois à venir et que vous planifiez trois plats principaux avec cette viande à raison de quatre portions chacune, ainsi qu'une sauce à la viande, vous pourrez calculer, sans trop de risques d'erreur, 2 kilogrammes de bœuf. Vous limiterez ainsi les pertes, de même que les portions trop petites.

TRUCS

Faire revenir le bifteck
Contrairement à ce que l'on croit souvent, il est possible de faire revenir les viandes au four à micro-ondes.
Comme dans la cuisine traditionnelle où l'on rissole parfois le rôti avant de le mettre au four, on procède à une opération semblable pour donner une belle apparence dorée ou brune à la viande.
Pour faire revenir une pièce de bœuf, on utilise un plat à rôtir. Ce récipient est recouvert d'un enduit qui absorbe les micro-ondes et devient rapidement très chaud. C'est ainsi qu'il peut griller les aliments.
Faire préchauffer le plat à rôtir dans le four à micro-ondes à 100 % pendant environ 7 minutes. Y mettre le beurre ou l'huile, et faire chauffer pendant une trentaine de secondes. Déposer la pièce de viande dans le plat sans le retirer du four. Une fois que la surface est bien dorée, retourner la pièce et poursuivre l'opération. Procéder ensuite à la cuisson telle que prévue.

Des petits conseils
Respecter le temps de préchauffage du plat à rôtir. L'exposer plus longtemps qu'indiqué pourrait endommager la paroi intérieure du four.
Ne pas utiliser le plat à rôtir sur une cuisinière traditionnelle ; il pourrait s'abîmer.

Durée de conservation

Autrefois, c'est en salant ou en séchant la viande qu'on en assurait la conservation. À la fin du XIXe siècle, avec les fortes densités de populations urbaines, l'engouement pour la viande, la rationalisation de la production et le développement des échanges internationaux, on vit apparaître les premières livraisons de viande frigorifiée par cargo, à destination de la Grande-Bretagne. Aujourd'hui, les méthodes de conservation en cours n'altèrent en rien le goût des viandes. De plus, elles réduisent de beaucoup les risques de prolifération de bactéries. Il faut cependant apporter certains soins à cette opération.

Portez une attention particulière à l'emballage.

L'air sec et froid de votre congélateur peut abîmer, et même détériorer, la viande en la desséchant et la brunissant. On parle alors de brûlure par le froid. Vous devez aussi vous assurer que les sucs et le sang ne s'écoulent pas de la viande. Celle-ci perdrait alors une partie de ses qualités nutritives, son humidité, sa saveur. Les liquides pourraient aussi entrer en contact avec d'autres aliments congelés et en altérer le goût. Il vous faut donc des emballages imperméables, fermant hermétiquement. Apposez sur l'emballage une étiquette sur laquelle vous inscrirez le contenu, le poids, la date de la congélation et la durée de conservation. On trouve sur le marché des sacs de congélation munis d'une fermeture étanche et faciles à utiliser. Si vous ne disposez pas d'emballages semblables, insérez la viande dans des sacs de plastique ordinaires d'où vous retirerez l'air à l'aide d'une paille.

Préparez les aliments à conserver en prévision de leur cuisson. Déposez les viandes et les préparations dans des plats ou récipients compatibles avec votre four à micro-ondes. En passant directement du congélateur au four, vous sauverez un temps précieux et éviterez les risques de perte et de mauvaise cuisson. Les sacs non pourvus d'une fermeture spéciale que l'on prévoit utiliser pour la cuisson doivent être refermés à l'aide d'attaches en plastique.

Rôtis

Faute d'emballage sous vide, la surface du rôti doit adhérer au papier d'emballage, afin qu'elle ne soit pas brûlée par le froid.

Biftecks et croquettes

Des feuilles de papier ciré ou de pellicule plastique, qu'on insère entre les tranches, sont pratiques à la fois pour le rangement et la décongélation.

Plats cuisinés

On peut décongeler et réchauffer un mets en une seule opération en utilisant un sac et un récipient de plastique.

Durée de conservation des viandes

Coupe	Au réfrigérateur	Au congélateur
Rôti	3 jours	8 à 12 mois
Biftecks	3 jours	6 à 9 mois
Bœuf à ragoût	2 jours	6 mois
Bœuf haché	2 jours	3 à 6 mois
Abats	1 à 2 jours	3 mois
Bœuf cuit	7 jours	3 mois

Bien envelopper la viande dans un emballage approprié, imperméable à l'air et à l'humidité, pour empêcher la brûlure par le froid.

Foie
Pour accélérer la décongélation du foie, pliez les tranches avant de les congeler.

Les 1001 façons d'apprêter le bœuf

Voici quelques appellations culinaires et leur description. Elles vous aideront à déchiffrer le jargon des menus et livres de cuisine. Mais vous en tirerez surtout bien des idées quant aux mille et une manières d'apprêter le bœuf. Ces plats proviennent de différents pays ou régions. Ils sont savoureux, parfois étonnants. Vous découvrirez des parties du bœuf qui vous étaient inconnues et qui vous raviront. Et plusieurs des sauces peuvent servir de base à de nouvelles.

Aloyau de bœuf à la florentine
Rôti, garni de petits gâteaux aux épinards et de croquettes à la semoule; accompagné d'une demi-glace à la tomate.

Amourettes poulette
Pochées dans un bouillon aux herbes puis mijotées dans une sauce poulette. La sauce poulette est un velouté de veau à l'essence de champignons et au vin blanc, parfumé de jus de citron, lié avec des jaunes d'œufs et parsemé de persil.

Bœuf braisé au gratin dauphinois
Braisé dans une sauce au vin blanc et demi-glace; servi avec la sauce passée et un gratin dauphinois (pommes de terre au gratin).

Bœuf à la provençale
Braisé (culotte ou pointe de la cuisse) dans du vin blanc et une sauce brune avec tomates et ail; garni de têtes de champignons, farci d'une duxelles à l'ail et de petites tomates frites.
Une duxelles est un hachis de champignons de Paris, d'échalotes et d'oignons, sauté dans le beurre, aromatisé à la muscade et lié avec de la crème fraîche.

Bœuf à la russe
Bouilli, nappé d'un mélange de crème sure et de raifort relevé de vinaigre, parsemé de persil et de noisettes de beurre, et passé au four.

Bœuf à la Westmoreland
Rôti, garni de tomates farcies, de tranches de concombre dentelées, de pois verts et de pommes de terre à l'allemande (dans un beurre bruni), accompagné du jus de cuisson lié.

Filet de bœuf à la forestière
Rôti, garni de morilles et d'une friture de cubes de pommes de terre et de bacon, recouvert d'une sauce italienne.
La sauce italienne est faite à partir de champignons, d'échalotes, d'oignons, de purée de tomates, de jambon, d'épices et de persil.

Filet à la mexicaine
Garni de champignons et de piments rouges; accompagné d'une sauce tomate très épicée.

Filet mignon Bayard
Grillé, déposé sur un crouton tartiné de pâté de foie d'oie, accompagné de petites croquettes de poulet et de pois verts au beurre; servi avec une sauce aux truffes.
La sauce aux truffes est une demi-glace parfumée à l'essence de truffes et au

madère, et parsemée de truffes hachées.

Langue à l'italienne
Marinée, bouillie et braisée dans une sauce italienne légère ; garnie de cœurs d'artichauts à l'italienne et de croquettes de macaroni.

Langue à l'oseille
Braisée ou bouillie, servie avec une purée d'oseille et une sauce madère.

Palais de bœuf à la sauce anchois
Bouilli puis mijoté dans une sauce au vin rouge et au beurre d'anchois.

Pâté au bifteck et aux rognons
Petites tranches de bœuf, oignons hachés, rognons de bœuf et épices, enveloppés d'une pâte à base de suif et bouillis.

Queue de bœuf à la crème
Coupée en morceaux, bouillie dans un fond blanc avec des légumes de terre, puis cuite à feu doux dans une sauce à la crème légère.

Le bœuf, oui, mais avec quoi?

Les légumes d'accompagnement

Si la viande occupe une place royale sur nos tables, les légumes savent la compléter et la mettre en valeur. Les légumes décorent joliment l'assiette par leurs couleurs vives et leurs formes variées. Et, ne l'oublions pas, ils sont une source indispensable de vitamines, de minéraux et de fibres.

Nous apprenons peu à peu à diversifier les plantes potagères que nous consommons, et découvrons les mille et une façons de les apprêter. Bon nombre de celles-ci sont de véritables chefs-d'œuvre culinaires. Et grâce au four à micro-ondes, ils cuisent de l'intérieur et ne se dessèchent pas. Ils conservent couleur et saveur, demeurent appétissants et gardent leur valeur nutritive à cause du peu d'eau qu'exige ce mode de cuisson.

Certains légumes comme les carottes, le céleri et le poireau sont parfois utilisés comme aromates avec des épices, qu'on retirera au moment de servir. Ils peuvent aussi composer un tout avec la pièce de bœuf, comme dans un ragoût bien mitonné où les saveurs de viande, de légumes et d'épices se mélangeront en un mets parfumé et délicieux. Préparés séparément, ils rehausseront le goût d'une viande, allégeront un plat très riche, surprendront par un contraste, une texture, un parfum.

Les légumes peuvent être glacés, en sauce ou au gratin, relevés d'épices, persillés, à la crème ou au beurre tout simplement. Ils s'adaptent à tous les modes de cuisson : braisés, bouillis, à l'étuvée, rôtis, au four. Quant à la présentation, vous avez l'embarras du choix : en purée, en dés, entiers, en macédoine. Les possibilités sont infinies. Tout dépend de vos goûts, de votre imagination, et... du plat qu'ils garniront.

Avec un bœuf en croûte, un filet cordon bleu (asperges, fromage et jambon), un tournedos à la béarnaise, on servira plutôt des petits légumes légers, des haricots sauce persillée. Le ragoût, le bœuf à la mode et le bœuf Strogonoff, qui se préparent déjà avec des légumes, s'accomoderont bien d'une salade verte. Un rosbif peut aussi bien côtoyer une macédoine, des brocolis au vin ou amandine, des carottes glacées parfumées à la muscade et des pommes rissolées, qu'un gratin dauphinois ou des épinards en crème. La douceur des petits pois ou des courgettes atténuera le goût très salé de l'entrecôte aux anchois et aux olives. L'estouffade de bœuf, comme le très épicé bifteck au four, se doublent agréablement de petits pois et de pommes de terre nouvelles grillées. Un bourguignon, quant à lui, aime les pommes vapeur...

TRUCS

Pour un repas-minute en quelques secondes

Les repas-minute feront le ravissement des utilisateurs d'un four à micro-ondes. Lors de la préparation d'un mets, le partager en plusieurs portions dans des plats de service allant au four à micro-ondes. On a ainsi le plaisir de déguster un bon repas vite fait.

On peut conserver les restes au réfrigérateur ou au congélateur, dans des plats de service.

Lorsque réchauffés, les restes offrent l'heureux avantage de conserver leur fraîcheur et leur apparence, et ont même souvent meilleur goût. Prendre soin de bien les recouvrir (avec du papier ciré ou un couvercle) pour qu'ils conservent leur saveur.

Rosbif aux fines herbes

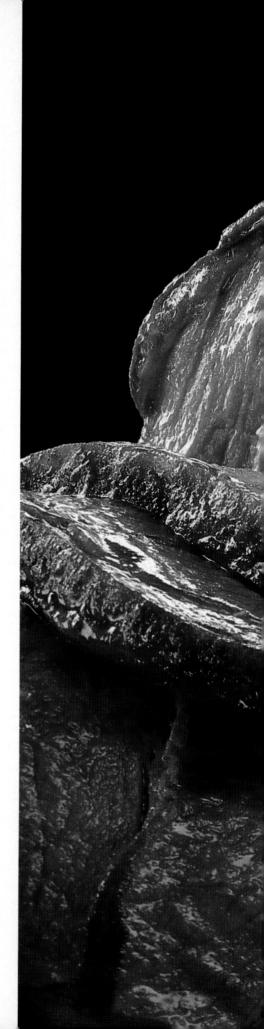

Complexité	🍴
Temps de préparation	10 min
Coût par portion	$ $
Nombre de portions	8
Valeur nutritive	313 calories 34,5 g de protéines 4,5 mg de fer
Équivalences	4 oz de viande
Temps de cuisson	13 à 17 min/kg (6 à 8 min/lb)
Temps de repos	10 min
Intensité	70 %
Inscrivez ici votre temps de cuisson	

Ingrédients
1 rosbif de 1,3 à 1,6 kg (3 à 3 1/2 lb)
10 ml (2 c. à thé) de persil
2 ml (1/2 c. à thé) de paprika
1 ml (1/4 c. à thé) d'origan
1 ml (1/4 c. à thé) de thym
1 ml (1/4 c. à thé) de romarin
1 ml (1/4 c. à thé) de poudre d'ail
1 ml (1/4 c. à thé) de poivre
15 ml (1 c. à soupe) de sauce Worcestershire

Préparation
— Badigeonner le rosbif du mélange de persil et d'assaisonnements puis le déposer sur une clayette.
— Cuire à 70 %, sans couvrir, au goût :

13 min/kg (6 min/lb) pour un rosbif saignant
17 min/kg (7 min/lb) pour un rosbif saignant ;
17 min/kg (7 min/lb) pour un rosbif à point ;
19 min/kg (8 min/lb) pour un rosbif bien cuit ;
ou, en utilisant la sonde thermique :
43°C (110°F) pour un rosbif saignant ;
49°C (120°F) pour un rosbif à point ;
54°C (130°F) pour un rosbif bien cuit, en tournant à la mi-cuisson.
— Au sortir du four recouvrir de papier d'aluminium, côté lustré contre la viande.
— Laisser reposer 10 minutes.

Rosbif d'épaule désossé

Complexité	🍴🍴
Temps de préparation	15 min
Coût par portion	$ $
Nombre de portions	10
Valeur nutritive	218 calories 40,9 g de protéines 5,2 mg de fer
Équivalences	4 oz de viande
Temps de cuisson	29 min
Temps de repos	aucun
Intensité	70 %, 100 %
Inscrivez ici votre temps de cuisson	

Ingrédients
1 rosbif d'épaule de 1,8 kg (4 lb), désossé et bardé
7 ml (1/2 c. à soupe) d'épices pour bifteck
450 g (1 lb) de lard taillé en fines tranches
375 ml (1 1/2 tasse) de thé fort
15 ml (1 c. à soupe) de fécule de maïs

Préparation
— Disposer le rosbif entre 2 feuilles de papier ciré et l'aplatir à l'aide d'un maillet.
— Saupoudrer les épices pour bifteck sur toute la surface de la viande.
— Rouler la viande sur elle-même.
— Barder et attacher le rosbif, puis le déposer sur une clayette.
— Sans couvrir, cuire au goût :
13 min/kg (6 min/lb) pour un rosbif saignant ;
17 min/kg (7 min/lb) pour un rosbif à point ;
19 min/kg (8 min/lb) pour un rosbif bien cuit ;
ou, en utilisant une sonde thermique :

⇒

Rosbif d'épaule désossé

Rassembler les ingrédients nécessaires à la préparation de cette recette qui convient à merveille aux événements spéciaux.

Disposer des tranches de lard sur le dessus du rosbif.

Attacher les tranches de lard avec de la ficelle pour les maintenir en place.

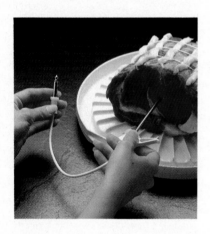

Disposer sur une clayette et cuire au goût, avec ou sans sonde thermique; tourner la clayette à la mi-cuisson.

Au sortir du four, recouvrir le rosbif de papier d'aluminium.

Verser le thé et déglacer pour récupérer les sucs qui se sont échappés pendant la cuisson.

43°C (110°F) pour un rosbif saignant;
49°C (120°F) pour un rosbif à point;
54°C (130°F) pour un rosbif bien cuit; en tournant à la mi-cuisson.

— Au sortir du four, recouvrir le rosbif de papier d'aluminium; réserver.
— Chauffer le thé 2 minutes à 100%.
— Verser le thé dans la

clayette et déglacer; incorporer la fécule de maïs délayée dans un peu d'eau froide, et cuire le tout 3 minutes à 100%, en remuant toutes les minutes.

Pour des viandes maigres plus savoureuses

Certaines parties du bœuf, souvent économiques, sont pauvres en graisses. C'est le cas du jarret, du paleron, de la partie inférieure des côtes (plat et train de côtes), et de la culotte (dans la cuisse). Quoique moins tendres que le dessus du dos, ces parties peuvent être savoureuses si elles cuisent lentement et qu'on leur ajoute du gras. Tout en protégeant la viande contre le dessèchement, le gras en augmente la saveur. Il existe différentes façons d'ajouter du gras à une viande maigre : vous pouvez barder, larder ou entrelarder votre bœuf.

Le bardage

On **barde** un rôti lorsqu'on l'enveloppe d'une mince couche de lard gras. Non seulement le gras améliore-t-il le goût du bœuf, mais il le protège contre la chaleur et lui conserve son humidité. Cuite à feu doux et ainsi recouverte, la viande sera tendre et délicieuse.

Le lardage

Lorsqu'on **larde** une pièce de viande, on y introduit en profondeur des lardons ou petits bâtonnets de lard gras ou maigre. Les lardons fondent pendant la cuisson, mouillent et parfument la viande. L'opération se fait à l'aide d'une lardoire (brochette de métal creuse servant à enfoncer les lardons). Si vous ne disposez pas de cet ustensile, percez profondément la pièce de bœuf, ici et là ou en son centre, avec la pointe d'un petit couteau à lame fine et insérez-y le gras.

L'entrelardage

On **entrelarde** un plat cuisiné en faisant alterner les tranches de viande et de minces lanières de lard gras, ce qui lui donne plus de saveur.

Quelques conseils

Le lard doit être inséré dans le sens des fibres de la viande. En gardant les fibres intactes, la viande conservera ses jus et n'en sera que meilleure et plus tendre. Variez les arômes et goûts de votre viande. Assaisonnez les morceaux de lard d'une persillade ou de fines herbes. Vous pouvez aussi les faire macérer dans un mélange de vin ou d'alcool et de fines herbes. Utilisez la graisse de bœuf : on la préfère pour son goût et la bonne protection qu'elle donne à la viande. Les possibilités sont multiples. Ainsi, un bœuf à la mode devient un plat succulent si vous lardez la viande avant de la braiser. Et c'est si simple à faire...

On barde le rôti en l'enveloppant d'une mince couche de gras. Ceci le protège de la chaleur et l'empêche de se dessécher.

Le bœuf à rôtir ou à braiser est piqué de lardons qui, fondant à la cuisson, attendrissent la viande et lui donnent meilleur goût.

Bœuf braisé Nouvelle-Angleterre

Complexité	🍴
Temps de préparation	10 min
Coût par portion	$
Nombre de portions	8
Valeur nutritive	290 calories 30,25 g de protéines 5,5 mg de fer
Équivalences	4 oz de viande 1 portion de légumes
Temps de cuisson	1 h 30 min
Temps de repos	5 min
Intensité	50 %
Inscrivez ici votre temps de cuisson	

Ingrédients
1,1 à 1,3 kg (2 1/2 à 3 lb) de bœuf salé
250 ml (1 tasse) d'eau chaude
3 carottes coupées en bâtonnets
2 pommes de terre coupées en quartiers
1 tête de chou coupée en quartiers

Préparation
— Tailler le bœuf en grosses lanières et le disposer dans une cocotte.
— Ajouter l'eau chaude et cuire 45 minutes à 50 %, en remuant 3 fois en cours de cuisson.
— Déposer les légumes sur la viande.
— Poursuivre la cuisson de 40 à 50 minutes à 50 %, en tournant le plat à la mi-cuisson.
— Laisser reposer 5 minutes avant de servir.

Rassembler les ingrédients nécessaires pour réaliser cette recette, préparée à faible intensité afin d'obtenir un braisage parfait.

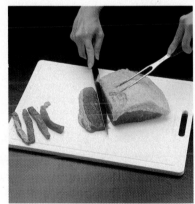

Tailler les morceaux de viande en grosses lanières.

Après le premier cycle de cuisson, ajouter les carottes, les pommes de terre et le chou.

Faire pivoter le plat d'un demi-tour pendant le second cycle de cuisson.

Bœuf à la mode

Complexité	
Temps de préparation	20 min*
Coût par portion	**$**
Nombre de portions	8
Valeur nutritive	435 calories 35,28 g de protéines 4,5 mg de fer
Équivalences	4 oz de viande 1 portion de légumes 2 1/2 portions de gras
Temps de cuisson	1 h 53 min
Temps de repos	5 min
Intensité	100 %, 50 %
Inscrivez ici votre temps de cuisson	

* La viande doit mariner de 10 à 12 heures avant d'être cuite.

Ingrédients
1,3 kg (3 lb) de pointe de poitrine de bœuf
2 pieds de porc coupés en deux
10 cubes de 2,5 cm (1 po) de couenne de lard
375 ml (1 1/2 tasse) d'eau
250 ml (1 tasse) de carottes taillées en cubes
125 ml (1/2 tasse) d'oignon haché grossièrement
250 ml (1 tasse) de pommes de terre taillées en cubes

Marinade
45 ml (3 c. à soupe) d'huile d'olive
75 ml (1/3 tasse) d'oignon haché finement
75 ml (1/3 tasse) de céleri haché finement
1 feuille de laurier
1 gousse d'ail pilée
15 ml (1 c. à soupe) de fines herbes

Préparation
— Mélanger tous les ingrédients de la marinade, y déposer les morceaux de poitrine de bœuf et les pieds de porc; laisser macérer de 10 à 12 heures au réfrigérateur.
— Disposer les cubes de couenne de lard dans une cocotte, ajouter 125 ml (1/2 tasse) d'eau et chauffer 3 minutes à 100 % pour blanchir.
— Retirer le lard et réserver.
— Déposer les légumes dans le même plat, couvrir et cuire 2 minutes à 100 %; remuer, puis réserver.
— Retirer le bœuf de la marinade et le déposer dans une cocotte. Ajouter les pieds de porc et le lard.
— Passer la marinade au tamis fin et la verser sur les légumes.
— Ajouter 250 ml (1 tasse)

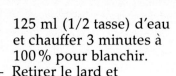

d'eau, couvrir et cuire 60 minutes à 50 % en tournant le plat à la mi-cuisson.
— Ajouter les légumes cuits et la sauce, couvrir et cuire 30 minutes à 50 %.
— Remuer le tout et poursuivre la cuisson à 50 % de 10 à 20 minutes, ou jusqu'à ce que la viande soit cuite.
— Laisser reposer 5 minutes avant de servir.

TRUCS

Pour décongeler vos biftecks hachés

Pour sauver du temps et conserver la saveur du bœuf haché, combiner, si possible, les cycles de décongélation et de cuisson. Utiliser alors des récipients allant au four à micro-ondes.

Le plat en anneau est celui qui convient le mieux. En effet, comme il n'y a pas de viande au centre, là où les micro-ondes sont moins intenses, le bœuf dégèlera de manière uniforme.

Si la viande a été congelée en paquet, diviser le cycle en plusieurs périodes. La première vous permettra de dégager le bœuf de son emballage. Après la seconde, gratter la viande décongelée et la retirer du four. Émietter la portion encore congelée, et la remettre au four pour une troisième exposition.

Bifteck au poivre

Complexité	🍴🔪
Temps de préparation	10 min
Coût par portion	$ $
Nombre de portions	2
Valeur nutritive	554 calories 55,3 g de protéines 6,6 mg de fer
Équivalences	6 oz de viande 1 1/2 portion de gras 1/2 portion de pain
Temps de cuisson	6 min
Temps de repos	aucun
Intensité	100 %, 70 %
Inscrivez ici votre temps de cuisson	

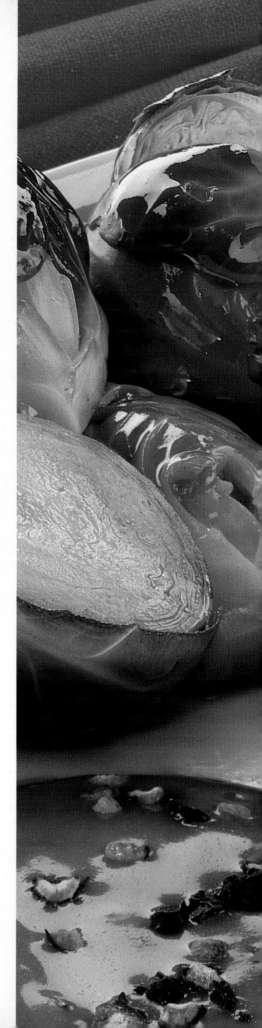

Ingrédients
4 biftecks d'aloyau
poivre en grains fraîchement moulu, au goût
30 ml (2 c. à soupe) de beurre
15 ml (1 c. à soupe) de farine grillée
12 grains de poivre
125 ml (1/2 tasse) de crème à 35 %
30 ml (2 c. à soupe) de cognac

Préparation
— Poivrer copieusement les biftecks.
— Préchauffer le plat à rôtir 7 minutes à 100 % ; ajouter le beurre et chauffer 30 secondes à 100 %.
— Saisir les biftecks, et cuire de 2 à 4 minutes à 70 %. Pour un bifteck plus cuit, prolonger la cuisson de 2 minutes ou plus.
— Retirer les biftecks et réserver ; recouvrir de papier d'aluminium, surface lustrée contre la viande.
— Ajouter la farine au gras de cuisson.
— Ajouter les grains de poivre, la crème et le cognac.
— Cuire 1 minute à 100 % et fouetter légèrement.
— Poursuivre la cuisson à 100 % de 30 à 60 secondes, ou jusqu'à épaississement.
— Napper les biftecks de cette sauce et servir.

Bifteck à la sauce piquante

Complexité	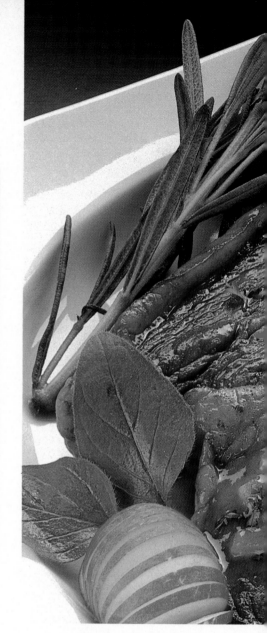 🍴
Temps de préparation	10 min
Coût par portion	$ $
Nombre de portions	4
Valeur nutritive	326 calories 30,9 g de protéines 5,2 mg de fer
Équivalences	3 oz de viande 1 portion de légumes 1 1/2 portion de gras
Temps de cuisson	12 min 30 s
Temps de repos	2 min
Intensité	100 %, 70 %
Inscrivez ici votre temps de cuisson	

Ingrédients
1 tranche de surlonge de
450 g (1 lb)
60 ml (4 c. à soupe) de
beurre
4 oignons hachés
60 ml (4 c. à soupe) de
farine
375 ml (1 1/2 tasse) de
bouillon de bœuf
50 ml (1/4 tasse) de
vinaigre de cidre
5 ml (1 c. à thé) de sucre
1 feuille de laurier
1 ml (1/4 c. à thé) de sel
60 ml (4 c. à soupe) de
cornichons tranchés

Préparation
— Chauffer le beurre
  30 secondes à 100 % ;
  ajouter l'oignon, couvrir
  et cuire de 2 à 3 minutes
  à 100 % .
— Ajouter la farine et bien
  mélanger.
— Ajouter le reste des
  ingrédients.
— Mélanger et cuire
  6 minutes à 100 %, en
  remuant toutes les
  2 minutes ; réserver.
— Disposer le bifteck sur
  une clayette et cuire
  3 minutes à 70 % ;

retourner le bifteck à la
mi-cuisson. Cuire
davantage si la viande
est trop saignante,
toujours à 70 %.
— Laisser reposer la viande
  2 minutes avant de la
  napper de sauce et de
  servir.

Pour préparer la sauce, faire cuire les oignons dans le beurre, les saupoudrer de farine et ajouter les autres ingrédients.

TRUCS

Pour une décongélation uniforme

Il faut remuer les plats en sauce plusieurs fois pendant la décongélation au four à micro-ondes et afin que la chaleur se répartisse également. Ponctuer le cycle de décongélation de quelques périodes de repos. Cette façon de procéder empêche aussi la cuisson des parties les moins charnues ou plus exposées aux micro-ondes. Recouvrir les parties déjà décongelées de papier d'aluminium (côté brillant contre la surface de la viande).

Lorsque le temps le permet laisser reposer le rôti, une fois décongelé, pendant au moins une heure avant de le faire cuire. La viande n'en sera que plus juteuse.

Bifteck à la sauce madère

Complexité	🍴
Temps de préparation	10 min
Coût par portion	$ $ $
Nombre de portions	4
Valeur nutritive	643 calories 60,9 g de protéines 7,96 mg de fer
Équivalences	6 oz de viande 1 portion de légumes 2 portions de gras 1 portion de pain
Temps de cuisson	13 min
Temps de repos	2 min
Intensité	100 %, 70 %
Inscrivez ici votre temps de cuisson	

Ingrédients
2 biftecks de faux-filet
125 ml (1/2 tasse) de céleri haché
125 ml (1/2 tasse) de carottes hachées
125 ml (1/2 tasse) d'oignon haché
45 ml (3 c. à soupe) de beurre
45 ml (3 c. à soupe) de farine
375 ml (1 1/2 tasse) de bouillon de bœuf
50 ml (1/4 tasse) de madère
1 ml (1/4 c. à thé) de thym
1 ml (1/4 c. à thé) de sarriette
1 feuille de laurier

Préparation
— Cuire les légumes à couvert de 5 à 6 minutes à 100 %, dans 50 ml (1/4 tasse) d'eau.
— Passer les légumes au mélangeur. Réserver.
— Chauffer le beurre 30 secondes à 100 % ; incorporer la farine et bien mélanger.
— Ajouter la purée de légumes, le bouillon de bœuf, le madère, le thym, sarriette et la feuille de laurier.
— Cuire 6 minutes à 100 %, en remuant toutes les 2 minutes ; réserver.

— Cuire les biftecks individuellement, sur une clayette, à 70 % 3 minutes ou au goût ; retourner le bifteck sur lui-même à la mi-cuisson pour obtenir une cuisson uniforme.
— Laisser reposer les biftecks 2 minutes et les napper de sauce avant de servir.

Rassembler les ingrédients
nécessaires à la préparation de cette
recette facile et rapide à réaliser.

Après avoir fait cuire les légumes et
ajouté les assaisonnements ; passer
au mélangeur et réserver.

Cuire les biftecks individuellement,
sur une clayette, à 70 % 3 minutes
ou plus.

37

Les sauces

Depuis des siècles, les sauces font l'objet d'une attention toute particulière, car elles habillent les aliments, les parfument, les diversifient. Compléments aux mets principaux ou aux plats d'accompagnement, elles relèvent leur goût, en augmentent les attraits. Tantôt coulantes, tantôt onctueuses, tantôt simples, tantôt élaborées, elles sont un atout certain en cuisine car elles en multiplient les possibilités et les plaisirs. La préparation des sauces devient presque un jeu d'enfant avec le four à micro-ondes, et finis les grumeaux ou les sauces collantes! Les sauces se conservent généralement bien au congélateur. Vous pourrez donc les préparer à l'avance. Partagez-les en petites portions dans des contenants individuels. Vous les sortirez selon vos besoins et les passerez directement au four pour la décongélation et le réchauffage.

Espagnole (sauce de base)
Roux[1] brun additionné d'un fond[2] brun, d'une mirepoix[3], de grains de poivre, d'un bouquet garni (persil, thym, romarin, laurier), le tout mijoté doucement, puis dégraissé et passé.

Demi-glace
Sauce espagnole réduite à laquelle on ajoute du madère. Une autre version propose la préparation suivante : sauce espagnole réduite, additionnée d'un jus de veau, de tomates fraîches ou en concentré, de rognures de porc et de pieds de champignons, le tout mijoté doucement, réduit, dégraissé et passé.

Bordelaise
Sauce composée d'échalotes hachées, de thym, de laurier et de poivre blanc. Le tout est mouillé de vin rouge, réduit, additionné d'une demi-glace, puis bouilli, passé, enrichi de beurre et fouetté.
Elle se marie particulièrement bien aux viandes garnies de moelle de bœuf blanchie et de persil haché.

Duxelles
Cette préparation classique est faite à base d'échalotes et d'oignons hachés revenus dans le beurre, mouillés de vin blanc, le tout réduit, additionné de tomates et de demi-glace, de champignons en menus morceaux cuits dans le beurre et le persil.

Hongroise
Sauce à base de vin blanc mélangée à une glace[4] de veau et à de la crème sure, et assaisonnée de paprika. Une autre version de la sauce hongroise propose les ingrédients suivants : oignons hachés et petit salé brunis avec du lard, saupoudrés de farine, le tout additionné de crème sure et de glace de viande, bouilli et asssaisonné de paprika.

Piquante
Sauce faite à base d'échalotes hachées, de vin blanc et de vinaigre ; ce mélange est réduit, additionné de demi-glace, passé, assaisonné de cayenne, d'estragon et de cerfeuil, et garni de cornichons en menus morceaux ainsi que de persil.
1- Roux : mélange de beurre et de farine, cuit et additionné d'un liquide (lait, fond, fumet) ; sa couleur dépend de la durée de cuisson.
2- Fond : bouillon aromatisé ; il est brun quand ses composantes sont d'abord brunies avant d'être déposées dans le liquide de cuisson.
3- Mirepoix : préparation composée de légumes en dés, de jambon cru ou de lard maigre, et d'aromates, cuite dans du beurre.
4- Glace de viande : fond brun dégraissé, passé et réduit jusqu'à ce que la composition soit très concentrée.
Referez-vous au livre « Sauces et Potages » de la présente collection. Vous y trouverez les recettes de toutes les sauces dont vous aurez besoin pour la préparation de vos plats.

Paleron de bœuf

Complexité	🍴
Temps de préparation	20 min
Coût par portion	$
Nombre de portions	10
Valeur nutritive	367 calories 49,6 g de protéines 7,98 mg de fer
Équivalences	4 oz de viande 1 portion de légumes 1/2 portion de pain
Temps de cuisson	2 h 30 min
Temps de repos	5 min
Intensité	50 %
Inscrivez ici votre temps de cuisson	

Ingrédients

1 rosbif de palette de 1,8 kg (4 lb), coupé du centre
4 pommes de terre coupées en morceaux de 5 cm (2 po)
2 carottes coupées en tranches de 5 cm (2 po)
1 poivron vert taillé en lamelles
1 oignon espagnol tranché
45 ml (3 c. à soupe) de farine
15 ml (1 c. à soupe) de cassonade
2 ml (1/2 c. à thé) de moutarde sèche
125 ml (1/2 tasse) de ketchup
175 ml (3/4 tasse) d'eau chaude
30 ml (2 c. à soupe) de sauce Worcestershire
15 ml (1 c. à soupe) de vinaigre
poivre
sac à cuisson *Look*

Préparation

— Déposer le rosbif dans le sac à cuisson; ajouter les pommes de terre, les carottes, le poivron et l'oignon.
— Dans un bol, mélanger tous les autres ingrédients; ajouter ce mélange à la viande et aux légumes.
— Refermer le sac mais laisser un petit orifice afin que l'excès de vapeur puisse s'échapper.
— Déposer le sac dans un plat et cuire à 50 % de 2 heures à 2 1/2 heures, ou jusqu'à ce que la viande soit tendre, en tournant le plat toutes les 30 minutes.
— Laisser reposer 5 minutes avant d'ouvrir le sac et d'en retirer les aliments.

Après avoir disposé le bœuf et les légumes dans le sac à cuisson, y verser le mélange de tous les autres ingrédients.

TRUCS

Pour une décongélation et une cuisson uniformes des cubes et des boulettes
Que ce soit pour la décongélation ou pour la cuisson, disposer les plus gros morceaux de viande vers l'extérieur du plat. Les micro-ondes y étant plus intenses que vers l'intérieur, leur action sera plus uniforme.
Si les cubes et les boulettes sont d'égale grosseur, les répartir en cercle sur le pourtour du plat, en prenant soin de bien les espacer pour que les ondes puissent circuler.

Flanc de bœuf

Complexité		
Temps de préparation	30 min	
Coût par portion	$ $	
Nombre de portions	6	
Valeur nutritive	330 calories 27,2 g de protéines 4,06 mg de fer	Sauce : 200 calories 5,7 g de protéines 1 mg de fer
Équivalences	3 oz de viande 2 portions de légumes 1 portion de gras	Sauce : 1/2 portion de pain 1 portion de légumes 3 portions de gras
Temps de cuisson	1 h 04 min	
Temps de repos	5 min	
Intensité	100 %, 70 %	
Inscrivez ici votre temps de cuisson		

Ingrédients

1 flanc de bœuf coupé en 3
1 petit oignon finement haché
450 g (1 lb) de champignons frais, nettoyés et hachés
2 ml (1/2 c. à thé) de thym
5 ml (1 c. à thé) de cerfeuil
2 ml (1/2 c. à thé) de basilic
2 gousses d'ail, pilées et hachées
30 ml (2 c. à soupe) de ciboulette hachée
50 ml (1/4 tasse) de chapelure
1 œuf battu
sel et poivre
30 ml (2 c. à soupe) de beurre
22 ml (1 1/2 c. à soupe) d'huile

Sauce

75 ml (5 c. à soupe) de beurre
30 ml (2 c. à soupe) de carottes hachées finement
30 ml (2 c. à soupe) d'oignon
15 ml (1 c. à soupe) de céleri
1 gousse d'ail pilée et hachée
1 ml (1/4 c. à thé) de basilic
1 feuille de laurier
90 ml (6 c. à soupe) de farine
1,25 l (5 tasses) de bouillon de poulet chaud
375 ml (1 1/2 tasse) de tomates, égouttées et hachées
125 ml (1/2 tasse) de vin rouge sec
sel et poivre

⇒

Flanc de bœuf

Rassembler les ingrédients nécessaires pour cette recette longue à préparer, mais dont le caractère exceptionnel impressionnera vos invités.

Trancher chaque flanc en deux parties ; les disposer entre des feuilles de papier ciré. Aplatir la viande à l'aide d'un maillet.

Farcir chaque morceau avant de le rouler sur lui-même et de le ficeler.

Préparation

— Disposer l'oignon et les champignons dans un plat, couvrir et cuire 3 minutes à 100 %.

— Ajouter le thym, le cerfeuil, le basilic, l'ail et la ciboulette ; couvrir et cuire 2 minutes à 100 %.

— Ajouter la chapelure et l'œuf, puis remuer. Réserver la farce obtenue.

— Trancher chaque morceau de flanc en deux parties, dans le sens de la longueur.

— Placer chaque morceau entre 2 feuilles de papier ciré, puis l'aplatir à l'aide d'un maillet.

— Saler et poivrer au goût.

— Farcir chaque pièce de flanc avec 1/6 de la farce déjà préparée.

— Rouler et ficeler la viande ; préchauffer le plat à rôtir 7 minutes à 100 %.

— Ajouter le beurre et l'huile, puis chauffer 30 secondes à 100 %.

— Saisir les rouleaux dans le plat à rôtir, les retirer et réserver.

— Pour préparer la sauce, mettre le beurre dans un plat à rôtir et chauffer 1 minute à 100 %.

— Ajouter les carottes, l'oignon, le céleri, l'ail, le basilic et la feuille de laurier.

— Mélanger, couvrir et cuire de 2 à 3 minutes à 100 % .

— Saupoudrer de farine et bien mélanger ; ajouter le bouillon de boeuf et remuer.

— Cuire de 3 à 4 minutes à 100 %, en remuant à la mi-cuisson.

— Ajouter les tomates, le vin, le sel et le poivre.

— Cuire de 1 à 2 minutes à 100 % .

— Déposer les rouleaux dans la sauce obtenue, couvrir et cuire 20 minutes à 70 %.

— Intervertir la disposition des morceaux de viande, du centre vers l'extérieur.

— Cuire à nouveau à 70 % 15 minutes, puis alterner à nouveau la disposition des rouleaux.

— Cuire à nouveau à 70 % de 10 à 15 minutes, ou jusqu'à ce que la viande soit cuite.

— Laisser reposer 5 minutes ; découper les rouleaux en tranches et les disposer dans une assiette de service.

— Passer la sauce au tamis fin et en napper la viande avant de servir.

Bifteck à la mode de Londres

Ingrédients

1 tranche de 450 g (1 lb) de surlonge
1 boîte de 284 ml (10 oz) de consommé de bœuf
15 ml (1 c. à soupe) de

moutarde de Dijon
poivre
15 ml (1 c. à soupe) de fécule de maïs
15 ml (1 c. à soupe) d'eau
30 ml (2 c. à soupe) de

beurre
283 g (10 oz) de champignons tranchés

Complexité	🍴🥄
Temps de préparation	10 min
Coût par portion	$ $
Nombre de portions	2
Valeur nutritive	343 calories 5,6 g de protéines 9,2 mg de fer
Équivalences	5 oz de viande 1/2 portion de légumes
Temps de cuisson	9 min
Temps de repos	2 min
Intensité	100 %, 90 %
Inscrivez ici votre temps de cuisson	🍎✏️

Préparation

— Dans un bol, mélanger le consommé de bœuf et la moutarde ; poivrer généreusement.
— Ajouter la fécule de maïs délayée dans l'eau.
— Cuire à 100 % de 2 à 3 minutes, ou jusqu'à ce que le mélange devienne épais ; réserver.
— Couper la tranche de viande en larges languettes.
— Pendant ce temps, préchauffer le plat à rôtir 7 minutes à 100 %.
— Ajouter le beurre et chauffer 30 secondes à 100 %.
— Saisir les languettes de viande et ajouter les champignons.
— Couvrir et cuire 2 minutes à 90 %, puis ajouter la sauce.
— Réchauffer le tout de 3 à 4 minutes à 90 %.
— Laisser reposer 2 minutes avant de servir.

Bœuf en croûte

Complexité	🍴🍴
Temps de préparation	20 min
Coût par portion	$ $ $
Nombre de portions	2
Valeur nutritive	743 calories 52,2 g de protéines 9,33 mg de fer
Équivalences	6,5 oz de viande 3 portions de gras 1 1/2 portion de pain
Temps de cuisson	4 min
Temps de repos	aucun
Intensité	90 %
Inscrivez ici votre temps de cuisson	

Ingrédients

2 filets mignons de 2,5 cm
(1 po) d'épais
2 timbales surgelées
100 g (3 1/2 oz) de pâté de
foie gras
sel et poivre
30 ml (2 c. à soupe) de
beurre fondu
5 ml (1 c. à thé) de sauce
soja

Préparation

— Décongeler les timbales.
— Couper chaque timbale
  en deux parties puis les
  amincir le plus possible
  au rouleau.
— Déposer un filet sur
  chaque morceau de pâte,
  y ajouter une moitié du
  pâté de foie ; saler et
  poivrer.
— Couvrir chaque pièce
  d'un autre morceau de
  pâte, de façon à obtenir
  un effet décoratif ;
  badigeonner d'un peu
  de beurre fondu.
— Ajouter la sauce soja au
  reste de beurre et
  badigeonner la surface
  de la croûte.
— Disposer sur une clayette
  et cuire de 3 à 4 minutes
  à 90 %, en faisant
  pivoter le plat d'un
  demi-tour à la
  mi-cuisson.

Rassembler les ingrédients nécessaires à la préparation du bœuf en croûte, présenté ici en portions individuelles.

À l'aide d'un rouleau, amincir le plus possible les timbales.

Déposer une moitié du pâté de fois sur chacun des filets mignons.

Refermer et décorer au goût avant de procéder à la cuisson.

Bifteck aux poivrons

Complexité	🍴🍴
Temps de préparation	15 min
Coût par portion	$
Nombre de portions	2
Valeur nutritive	425 calories 47,2 g de protéines 7,3 mg de fer
Équivalences	4,5 oz de viande 1/2 portion de légumes 2 portions de gras
Temps de cuisson	4 min 30 s
Temps de repos	aucun
Intensité	100 %
Inscrivez ici votre temps de cuisson	

Ingrédients

350 g (12 oz) de bifteck de palette désossée
15 ml (1 c. à soupe) d'huile
15 ml (1 c. à soupe) de beurre
1 poivron rouge taillé en fines lamelles
175 ml (3/4 tasse) de bouillon de bœuf
5 ml (1 c. à thé) de sauce soja
10 ml (2 c. à thé) de fécule de maïs
10 ml (2 c. à thé) d'eau
poivre

Préparation

— Trancher le bifteck en fines lanières.
— Préchauffer le plat à rôtir 7 minutes à 100 % .
— Ajouter le beurre et l'huile et chauffer 30 secondes à 100 % .
— Saisir la viande, puis ajouter le poivron rouge.
— Couvrir et cuire de 2 à 3 minutes à 100 % , en remuant 1 fois à la mi-cuisson.
— Ajouter le bouillon de bœuf, la sauce soja, la fécule de maïs délayée dans l'eau et poivrer.
— Cuire à 100 % de 1 à 1 1/2 minute, ou jusqu'à ce que la sauce prenne consistance.

Rassembler les ingrédients nécessaires à la préparation de cette recette d'exécution simple et rapide.

TRUCS

Pour décongeler les biftecks

Retirer le plus d'emballage possible de vos biftecks avant de les décongeler. S'ils sont empilés, les séparer en introduisant la lame d'une couteau entre chacun. Dès que possible, enlever le reste de l'emballage. Les retourner à plusieurs reprises en prenant soin de recouvrir les parties déjà décongelées de papier d'aluminium. Il faut toujours déposer la viande sur une clayette de décongélation ou une assiette renversée dans un plus grand plat. Comme les liquides se réchauffent plus rapidement que la viande, cette opération empêchera que des parties de la viande baignent dans le jus et ne commencent à cuire.

Comme les micro-ondes ont tendance à se concentrer à la périphérie du plat, disposer les plus gros morceaux de viande ou les parties les plus charnues sur son pourtour. De plus, il est recommandé de faire pivoter le plat d'un demi-tour à la mi-décongélation.

Bœuf oriental à la mandarine

Complexité	
Temps de préparation	20 min*
Coût par portion	$ $
Nombre de portions	5
Valeur nutritive	267 calories 25 g de protéines 6,6 mg de fer
Équivalences	3 oz de viande 1 portion de légumes 1/2 portion de fruits
Temps de cuisson	5 min 30 s
Temps de repos	aucun
Intensité	100 %
Inscrivez ici votre temps de cuisson	

* La viande doit mariner de 15 à 20 minutes avant d'être cuite.

Ingrédients

450 g (1 lb) de bifteck de ronde
15 ml (1 c. à soupe) de sauce soja
125 ml (1/2 tasse) de jus d'orange
1 ml (1/4 c. à thé) de gingembre
1 gousse d'ail pilée
15 ml (1 c. à soupe) de beurre
15 ml (1 c. à soupe) d'huile
500 ml (2 tasses) de brocoli coupé en morceaux
1 poivron vert tranché
1 oignon moyen tranché
250 ml (1 tasse) de champignons tranchés
1 boîte de 284 ml (10 oz) de mandarines égouttées
30 ml (2 c. à soupe) de fécule de maïs
45 ml (3 c. à soupe) d'eau

Préparation

— Marteler le bifteck pour l'attendrir; le trancher en languettes de 5 cm (2 po), dans le sens inverse des fibres de la viande.
— Dans un bol, mélanger la sauce soja, le jus d'orange, le gingembre et l'ail.

Bœuf oriental à la mandarine

Trancher le bifteck de ronde en fines languettes, après l'avoir martelé pour l'attendrir.

Verser le mélange de sauce soja, de jus d'orange, de gingembre et d'ail sur la viande.

Retirer la viande de la marinade après 15 à 20 minutes et l'égoutter soigneusement.

Ajouter le brocoli, le poivron vert, l'oignon et les champignons à la viande, après l'avoir fait saisir.

Incorporer les mandarines égouttées à la viande ; couvrir et réserver.

Verser la marinade sur la viande et les légumes.

— Verser ce mélange sur la viande et laisser mariner de 15 à 20 minutes.
— Préchauffer le plat à rôtir 7 minutes à 100 %.
— Ajouter l'huile et le beurre et chauffer 30 secondes à 100 %.
— Retirer la viande de la marinade et l'égoutter ; réserver la marinade.

— Saisir les languettes de viande dans le plat à rôtir, puis ajouter les légumes.
— Cuire de 3 à 4 minutes à 100 %, en remuant 1 fois à la mi-cuisson.
— Ajouter les mandarines égouttées, couvrir et réserver.

— Délayer la fécule de maïs avec l'eau froide et incorporer à la marinade.
— Cuire la marinade à 100 % de 1 à 1 1/2 minute, ou jusqu'à ce que le mélange épaississe.

Surprise au yogourt

Ingrédients

410 ml (15 oz) de reste de ragoût de bœuf
15 ml (1 c. à soupe) d'oignon jaune
15 ml (1 c. à soupe) de beurre
125 ml (1/2 tasse) de champignons ou en conserve, égouttés
75 ml (1/3 tasse) de yaourt nature
250 ml (1 tasse) de nouilles aux œufs cuites
1 bouquet de persil frais, ou quelques bouquets de brocoli cuit

Complexité	
Temps de préparation	5 min
Coût par portion	$
Nombre de portions	3
Valeur nutritive	446 calories 16 g de protéines 2,7 g de lipides
Équivalences	2,5 oz de viande 3 portions de gras 1 portion de pain
Temps de cuisson	13 min
Temps de repos	aucun
Intensité	100 %, 90 %, 70 %
Inscrivez ici votre temps de cuisson	

Préparation

— Mettre l'oignon et le beurre dans un plat ; couvrir et cuire 1 minute à 100 %.
— Ajouter les champignons, couvrir et cuire 3 minutes à 100 %.
— Remuer, puis ajouter le ragoût de bœuf ; bien mélanger.
— Incorporer le yaourt et bien remuer.
— Couvrir et cuire à 90 % de 3 à 4 minutes, ou jusqu'à ce que le mélange soit chaud.
— Étendre les nouilles au fond d'un plat.
— Garnir de persil ou de bouquets de brocoli, puis verser le mélange de ragoût de bœuf.
— Chauffer le tout de 4 à 5 minutes à 70 % .

Bifteck Salisbury

Complexité	
Temps de préparation	10 min
Coût par portion	**$**
Nombre de portions	4
Valeur nutritive	463 calories 29,1 g de protéines 4,07 mg de fer
Équivalences	3 oz de viande 1 portion de légumes 3 portions de gras 1 portion de pain
Temps de cuisson	12 min
Temps de repos	aucun
Intensité	100 %, 90 %
Inscrivez ici votre temps de cuisson	

TRUCS

Pour cuisiner avec une sonde thermique
La sonde assure la cuisson exacte d'à peu près tous les aliments. Son principe d'utilisation est très simple : il s'agit de l'insérer dans l'aliment à cuire et de choisir la température de cuisson qui convient. Quand la température de cuisson désirée est atteinte, le four s'arrête automatiquement.

Ingrédients
450 g (1 lb) de bœuf haché
1 carotte râpée
50 ml (1/4 tasse) d'oignon haché finement
50 ml (1/4 tasse) de céleri haché finement
50 ml (1/4 tasse) de poivron vert haché finement
1 œuf
50 ml (1/4 tasse) de mie de pain émiettée
15 ml (1 c. à soupe) de sauce Worcestershire
15 ml (1 c. à soupe) de concentré de bouillon de bœuf
4 tranches de pain croûté
250 ml (1 tasse) de sauce brune

Préparation
— Mettre les légumes dans un plat, couvrir et cuire de 3 à 4 minutes à 70 % ; laisser refroidir.
— Dans un bol, mélanger le bœuf haché, l'œuf, la mie de pain, la sauce Worcestershire et les légumes.
— Former 4 croquettes et les badigeonner de concentré de bouillon de bœuf.
— Disposer les croquettes sur une plaque à bacon et cuire de 6 à 8 minutes à 90 % ; alterner la disposition des boulettes et faire pivoter le plat d'un demi-tour après 2 minutes de cuisson.
— Chauffer la sauce brune de 2 à 3 minutes à 100 %, en remuant 1 fois.
— Déposer une croquette cuite sur chacune des tranches de pain croûté, et recouvrir de sauce chaude.

Ragoût de bœuf haché

Complexité	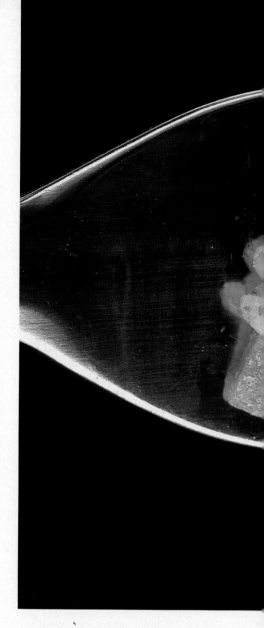
Temps de préparation	20 min
Coût par portion	$
Nombre de portions	4
Valeur nutritive	417 calories 39,7 g de protéines 5,7 mg de fer
Équivalences	4 oz de viande 1 portion de légumes 1 portion de pain
Temps de cuisson	26 min
Temps de repos	3 min
Intensité	100 %, 70 %
Inscrivez ici votre temps de cuisson	

Ingrédients
675 g (1 1/2 lb) de bœuf haché maigre
375 ml (1 1/2 tasse) de carottes râpées
250 ml (1 tasse) de céleri finement haché
575 ml (2 1/3 tasse) d'eau chaude
250 ml (1 tasse) de riz
1 enveloppe de soupe à l'oignon
1 feuille de laurier

Préparation
— Déposer les légumes dans une cocotte et ajouter 75 ml (1/3 tasse) d'eau chaude ; couvrir et cuire de 3 à 4 minutes à 100 %.
— Ajouter le bœuf haché et cuire de 4 à 5 minutes à 100 %, en prenant soin de séparer la viande avec une fourchette à 2 reprises.
— Ajouter le reste de l'eau chaude et des ingrédients ; bien mélanger.
— Couvrir et cuire 5 minutes à 100 % ; remuer.
— Diminuer l'intensité à 70 % et cuire à nouveau 10 minutes.
— Retirer la feuille de laurier et laisser reposer 3 minutes avant de servir.

TRUCS

Pour bien protéger vos viandes à congeler
Pour que les viandes congèlent parfaitement, les envelopper d'un emballage imperméable à l'air et à l'eau. Un contact avec l'air causerait une brûlure par le froid et les abîmerait. Des liquides s'échappant d'aliments avoisinants pourraient en altérer le goût. Une perte de leurs sucs les assécherait. Utiliser de préférence des sacs de congélation à fermeture étanche. Si vous ne disposez pas de tels sacs, prendre des sacs ordinaires et les vider de leur air à l'aide d'une paille avant de les mettre au congélateur.
Prendre l'habitude de préparer vos aliments à congeler en prévision de leur décongélation et de leur cuisson. Pour congeler, par exemple, une bonne quantité de bœuf haché, le partager en portions de 450 g à 675 g (1 à 1 1/2 lb) creusées en leur centre. Cette opération facilitera la décongélation.

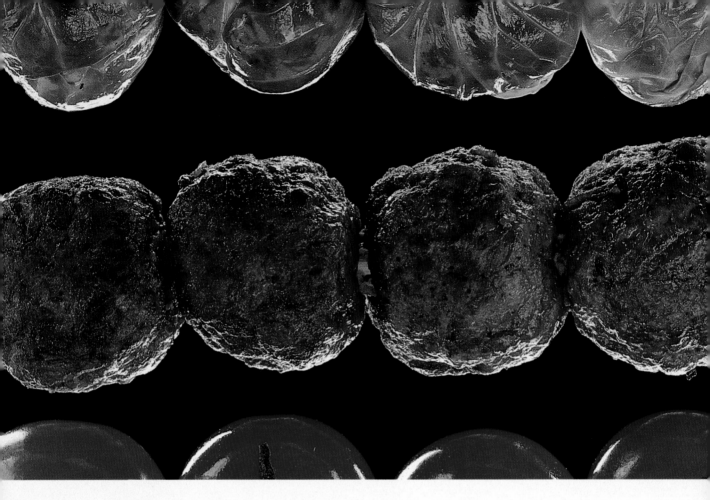

Brochettes de boulettes

Complexité	🍴
Temps de préparation	15 min*
Coût par portion	**$**
Nombre de portions	3
Valeur nutritive	297 calories 32,7 g de protéines 5,1 mg de fer
Équivalences	3,5 oz de viande 1 portion de légumes
Temps de cuisson	8 min
Temps de repos	aucun
Intensité	90 %
Inscrivez ici votre temps de cuisson	

* Cette recette comprend une marinade qui doit être réfrigérée quelques heures.

Ingrédients

450 g (1 lb) de bœuf haché
3 gousses d'ail pilées
1 piment rouge fort, broyé
2 ml (1/2 c. à thé) de gingembre moulu
5 ml (1 c. à thé) de cassonade
30 ml (2 c. à soupe) de sauce soja
60 ml (4 c. à soupe) d'eau
15 ml (1 c. à soupe) de noix de coco fraîche ou séchée, finement râpée
1 petit œuf battu
sel
tiges de bois

Préparation

— Dans un bol, mélanger l'ail, le piment, le gingembre, la cassonade, la sauce soja et l'eau ; garder quelques heures au réfrigérateur.

— Dans un plat, bien

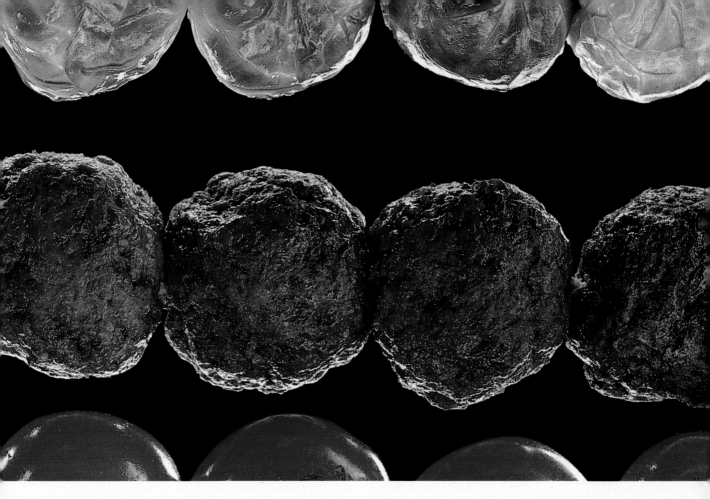

mélanger le bœuf haché, la noix de coco, l'œuf et le sel.

— Façonner de petites boulettes, bien fermes.
— Enfiler les boulettes sur des tiges de bois ; déposer les tiges dans un plat en les appuyant contre les bords pour les surélever.
— Cuire 3 minutes à 90 %.
— Badigeonner la viande du mélange réfrigéré, puis poursuivre la cuisson à 90 % de 4 à 5 minutes, ou jusqu'à ce que les boulettes soient cuites.
— À la mi-cuisson, changer la disposition des brochettes du centre vers l'extérieur du plat, pour obtenir une cuisson uniforme. ⟹

TRUCS

Le bouquet garni
On prépare un bouquet garni en attachant ensemble une feuille de laurier, deux tiges de persil et une de thym séché.

Pour fariner la viande
Mettre la farine et les assaisonnements requis pour la recette dans un sac. Ajouter quelques morceaux à la fois et secouer. Utiliser le reste du mélange pour épaissir la sauce.

Brochettes de boulettes

Rassembler les ingrédients nécessaires à la préparation de cette recette simple et qui plaît à tout coup.

Mélanger les ingrédients qui entrent dans la préparation de la marinade et la conserver quelques heures au réfrigérateur.

Enfiler les boulettes sur des tiges de bois, puis les déposer dans un plat en les appuyant contre les bords pour les surélever.

Les ustensiles de cuisson

Avant de penser à renouveler vos ustensiles de cuisine pour votre four à micro-ondes, faites un inventaire complet de votre batterie de cuisine. Il est à parier que bon nombre de vos récipients conviennent parfaitement à ce mode de cuisson.

La matière du plat ainsi que sa forme sont les deux points auxquels il faudra porter une attention particulière. Toute matière qui se laisse traverser par les micro-ondes peut être utilisée : verre, porcelaine, faïence et céramique (sans élément métallique) ; plastique (pouvant contenir des aliments chauds sans se déformer) ; carton et papier (les sacs de papier blanc et brun ne doivent pas servir à la cuisson) ; paille, osier, et bien d'autres encore. N'utilisez jamais des récipients de métal dans votre four. Le métal réfléchit les micro-ondes : le four en serait endommagé et pour comble, les aliments ne se réchaufferaient même pas. Les récipients circulaires sont ceux qui favorisent le mieux la décongélation, le réchauffage et la cuisson uniformes. Et l'idéal dans cette catégorie est sans contredit le plat en couronne, puisqu'aucun aliment ne peut occuper son centre. Les coins des plats carrés sont doublement exposés aux micro-ondes, ce qui augmente l'intensité de la cuisson. Dans des plats rectangulaires, les aliments sont aussi inégalement exposés aux micro-ondes, l'étant doublement dans les coins et peu au centre. Cependant rien n'empêche de les utiliser, à condition de remuer ou retourner les aliments plus fréquemment pendant l'opération, de recouvrir les parties plus exposées ou de réduire l'intensité de la cuisson. Deux récipients sont par contre fortement recommandés aux utilisateurs d'un four à micro-ondes : la clayette de décongélation, conçue de telle sorte que la viande n'est pas en contact avec son jus et qu'il n'y a pas de cuisson prématurée ; et le plat à rôtir, qui donnera aux viandes une belle couleur dorée.

Boulettes de viande avec fèves au lard

Ingrédients

450 g (1 lb) de bœuf haché
50 ml (1/4 tasse) de chapelure

10 ml (2 c. à thé) de sauce Worcestershire
0,5 ml (1/8 c. à thé) de poudre d'ail

75 ml (1/3 tasse) d'oignon haché
50 ml (1/4 tasse) de céleri haché
1 boîte de 796 ml (28 oz) de fèves au lard
50 ml (1/4 tasse) de ketchup
15 ml (1 c. à soupe) de mélasse

Complexité	🍴
Temps de préparation	10 min
Coût par portion	$
Nombre de portions	4
Valeur nutritive	479 calories 34,1 g de protéines 8,45 mg de fer
Équivalences	4 oz de viande 1 portion de légumes 1 portion de gras 1 portion de pain
Temps de cuisson	17 min
Temps de repos	3 min
Intensité	90 %, 100 %
Inscrivez ici votre temps de cuisson	

Préparation

— Mélanger le bœuf haché, la chapelure, la sauce Worchestershire et la poudre d'ail ; façonner de petites boulettes.

— Disposer les boulettes sur une clayette et cuire de 4 à 6 minutes à 90 %, en tournant le plat à la mi-cuisson ; réserver.

— Mettre l'oignon et le céleri dans un plat ; couvrir et cuire de 2 à 3 minutes à 100 % .

— Incorporer les fèves au lard, le ketchup et la mélasse ; bien mélanger.

— Chauffer de 4 à 5 minutes à 100 %, en remuant 1 fois.

— Incorporer les boulettes cuites et laisser reposer 3 minutes avant de servir.

Moussaka

Complexité	🍴🍴
Temps de préparation	30 min*
Coût par portion	$ $
Nombre de portions	8
Valeur nutritive	464 calories 34,4 g de protéines 6,1 mg de fer
Équivalences	4 oz de viande 2 portions de légumes 1 1/2 portion de gras 1/2 portion de lait
Temps de cuisson	57 min
Temps de repos	5 min
Intensité	100 %, 70 %
Inscrivez ici votre temps de cuisson	

* Les aubergines doivent dégorger pendant 2 heures avant la cuisson.

Ingrédients
900 g (2 lb) de bœuf haché maigre
900 g (2 lb) d'aubergines
1 gros oignon haché
5 gousses d'ail finement hachées
1 boîte de 540 ml (19 oz) de tomates broyées, égouttées
250 ml (1 tasse) de jus de tomate
2 ml (1/2 c. à thé) de cannelle
1 feuille de laurier
sel et poivre
90 ml (6 c. à soupe) de beurre
90 ml (6 c. à soupe) de farine

750 ml (3 tasses) de lait
4 œufs battus
125 ml (1/2 tasse) de parmesan râpé

Préparation
— Peler les aubergines et les trancher en rondelles de 1,5 cm (1/2 po).
— Les faire dégorger 2 heures en recouvrant de sel de table un côté des rondelles.
— Disposer les rondelles dans un plat, assécher et cuire de 7 à 8 minutes à 70 %, en faisant pivoter le plat d'un demi-tour à la mi-cuisson.

— Retirer les rondelles d'aubergines et les assécher à nouveau avec du papier essuie-tout, en tentant d'en extraire le plus d'huile possible ; réserver.
— Déposer les oignons et l'ail dans un plat et cuire 2 minutes à 100 %.
— Ajouter le bœuf et cuire à 100 % de 5 à 7 minutes, ou jusqu'à ce que la viande soit cuite, en la séparant avec une fourchette toutes les 2 minutes.

- Incorporer la tomate, le jus de tomate, la cannelle, le laurier, puis saler et poivrer.
- Sans couvrir, cuire de 10 à 12 minutes à 100 %, en remuant à la mi-cuisson; réserver.
- Pour préparer la béchamel, fondre le beurre 1 minute à 100 %; ajouter la farine et bien mélanger.
- Incorporer le lait et cuire à 100 % de 7 à 9 minutes, ou jusqu'à consistance épaisse, en remuant toutes les 2 minutes.

- Monter la moussaka; mettre la moitié de chaque préparation dans un plat, dans l'ordre suivant : sauce à la viande, œufs battus, parmesan, aubergines, et sauce Béchamel.
- Recommencer cette opération avec le reste de chaque préparation, en terminant cette fois par le fromage.
- Recouvrir les extrémités du plat de bandes de papier d'aluminium de 2,5 cm (1 po).
- Sans couvrir, cuire de 18 à 20 minutes à 70 %

en tournant le plat à 2 reprises pendant la cuisson.
- Laisser reposer 5 minutes avant de servir.

Pâté de bœuf garni

Complexité	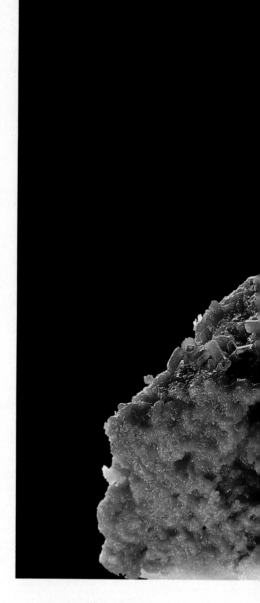
Temps de préparation	10 min
Coût par portion	**$**
Nombre de portions	6
Valeur nutritive	338 calories 20,8 g de protéines 2,09 mg de fer
Équivalences	3 oz de viande 1 portion de gras 1 portion de pain
Temps de cuisson	18 min
Temps de repos	2 min
Intensité	100 %, 70 %
Inscrivez ici votre temps de cuisson	

Ingrédients

1 abaisse de 22,5 cm (9 po)
450 g (1 lb) de bœuf haché maigre
125 ml (1/2 tasse) de lait concentré
125 ml (1/2 tasse) de ketchup
75 ml (1/3 tasse) de chapelure fine
50 ml (1/4 tasse) d'oignon haché
3 ml (3/4 c. à thé) de sel
2 ml (1/2 c. à thé) d'origan séché
2 ml (1/2 c. à thé) de poivre
5 ml (1 c. à thé) de sauce Worcestershire
125 ml (1/2 tasse) de préparation de fromage fondu

Préparation

— Piquer le fond de l'abaisse avec une fourchette, et la cuire surélevée de 4 à 5 minutes à 70 % en faisant pivoter l'assiette d'un demi-tour à la mi-cuisson ; réserver.
— Mélanger tous les autres ingrédients sauf le fromage.
— Cuire de 6 à 8 minutes à 100 % , en remuant 1 fois en cours de cuisson.
— Ajouter la préparation de fromage fondu, mélanger et verser dans la croûte de tarte ; bien tasser le mélange.
— Diminuer l'intensité à 70 % et cuire de 3 à 5 minutes, en faisant pivoter l'assiette d'un demi-tour après 2 minutes.
— Laisser reposer 2 minutes avant de servir.

Avec une fourchette, piquer le fond de l'abaisse à plusieurs endroits pour éviter qu'elle ne se brise durant la cuisson.

Incorporer la préparation de fromage fondu au mélange, puis verser le tout dans la croûte de tarte.

Faire pivoter l'assiette d'un demi-tour après 2 minutes du dernier cycle de cuisson, afin d'obtenir une cuisson uniforme.

Pain de viande à l'ancienne

Complexité	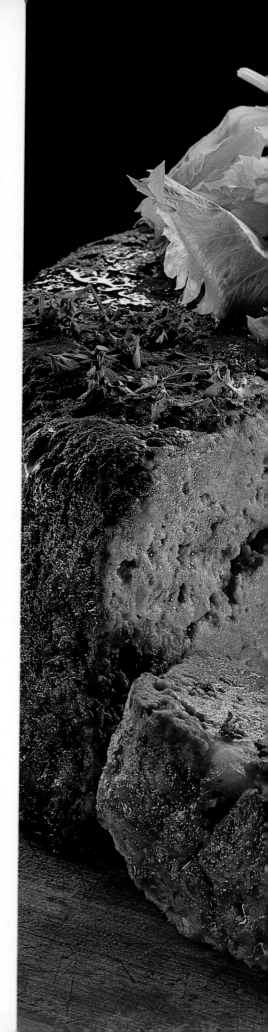
Temps de préparation	10 min
Coût par portion	$
Nombre de portions	8
Valeur nutritive	279 calories 26,6 g de protéines 4,5 mg de fer
Équivalences	3 oz de viande 1/2 portion de pain
Temps de cuisson	14 min
Temps de repos	4 min
Intensité	100 %, 90 %
Inscrivez ici votre temps de cuisson	

Ingrédients
900 g (2 lb) de bœuf haché
2 œufs
250 ml (1 tasse) de gruau instantané
1 oignon moyen haché
250 ml (1 tasse) de sauce aux pommes
10 ml (2 c. à thé) de sel
poivre
2 ml (1/2 c. à thé) de sauge
15 ml (1 c. à soupe) de sauce H-P

Préparation
— Dans un bol, bien mélanger le bœuf haché, les œufs, le gruau, l'oignon et la sauce aux pommes ; saler et poivrer, puis ajouter la sauge.
— Verser dans un moule tubulaire et pratiquer de petites entailles à la surface du mélange.
— Arroser de sauce H-P.
— Cuire 4 minutes à 100 %, en tournant le plat à la mi-cuisson.
— Diminuer l'intensité à 90 % et cuire à nouveau de 9 à 10 minutes ; tourner le plat à la mi-cuisson.
— Laisser reposer 4 minutes avant de servir.

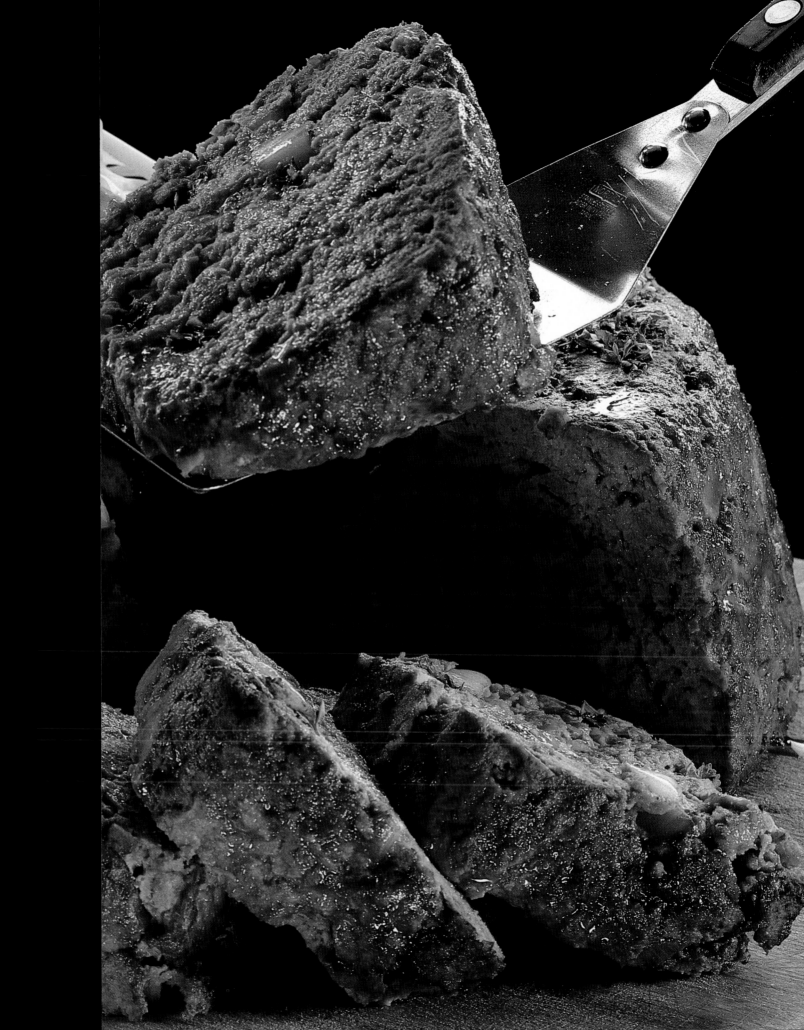

Pain de viande à la sauce barbecue

Complexité	
Temps de préparation	15 min
Coût par portion	$
Nombre de portions	4
Valeur nutritive	411 calories 40,3 g de protéines 6,02 mg de fer
Équivalences	4 oz de viande 1 portion de légumes 1 portion de pain
Temps de cuisson	25 min
Temps de repos	aucun
Intensité	70 %, 100 %
Inscrivez ici votre temps de cuisson	

Ingrédients

675 g (1 1/2 lb) de bœuf haché
1 œuf légèrement battu
1 petit oignon finement haché
125 ml (1/2 tasse) de céleri finement haché
1 sachet de panure à saveur de barbecue
250 ml (1 tasse) de pois verts surgelés

Préparation

— Mélanger le bœuf haché, l'œuf, l'oignon et le céleri.
— Mesurer 75 ml (1/3 tasse) de panure et réserver ; ajouter ce qui reste de panure à la viande et bien mélanger.
— Verser la viande dans un moule tubulaire ; saupoudrer de la panure réservée.
— Cuire à 70 % de 16 à 20 minutes, ou jusqu'à ce que la préparation soit cuite, en tournant le moule à la mi-cuisson ; réserver.
— Déposer les pois verts dans un plat ; couvrir et cuire de 4 à 5 minutes à 100 % .
— Démouler le pain de viande cuit et remplir son centre des pois cuits.

Rassembler les ingrédients nécessaires à la préparation de cette recette qui est une variante du pain de viande traditionnel.

Mettre la viande dans un moule tubulaire.

Saupoudrer la surface du pain de viande de chapelure.

Cuire de 16 à 20 minutes à 70 %, en tournant le plat à la mi-cuisson.

Bifteck chasseur

Complexité	🍴	🍴
Temps de préparation	15 min	20 min*
Coût par portion	$	$ $
Nombre de portions	4	8
Valeur nutritive	251 calories 61 g de protéines 13 mg de fer	
Équivalences	2 oz de viande 2 portions de légumes 1 portion de gras	
Temps de cuisson	11 min	15 min
Temps de repos	5 min	5 min
Intensité	100 %, 50 %	100 %, 50 %
Inscrivez ici votre temps de cuisson		

Ingrédients

Recette simple

4 tranches de bifteck de surlonge de 200 g (7 oz)
1/2 gousse d'ail hachée
30 ml (2 c. à soupe) d'huile
15 ml (1 c. à soupe) de beurre
350 g (12 oz) de champignons émincés
1 oignon émincé
125 ml (1/2 tasse) de consommé
90 ml (3 oz) de vin rouge
15 ml (1 c. à soupe) de pâte de tomates
15 ml (1 c. à soupe) de fécule de maïs
30 ml (2 c. à soupe) de persil
3 tomates égouttées
sel
poivre

Recette double

8 tranches de bifteck de surlonge de 200 g (7 oz)
1 gousse d'ail hachée
60 ml (4 c. à soupe) d'huile
15 ml (1 c. à soupe) de beurre
500 g (16 oz) de champignons émincés
2 oignons émincés
250 ml (1 tasse) de consommé
150 ml (5 oz) de vin rouge
30 ml (2 c. à soupe) de pâte de tomates
30 ml (2 c. à soupe) de fécule de maïs
45 ml (3 c. à soupe) de persil
6 tomates égouttées
sel
poivre

Préparation

— Mélanger l'ail à l'huile et badigeonner le bifteck de ce mélange ; laisser mariner 1 heure au réfrigérateur.

— Faire revenir tous les légumes, sauf les tomates, dans le beurre à 100 % 2 (4 1/2*) minutes.

— Préparer une sauce avec le vin rouge, la pâte de tomates, la fécule de maïs et le consommé. Cuire à 100 % 2 (3 à 4*) minutes, ou jusqu'à épaississement. Brasser une fois à la mi-cuisson.

— Déposer le bifteck, les
légumes, la sauce et les
tomates dans un plat ;
cuire à 50 %
5 (6*) minutes ; brasser ;
poursuivre la cuisson
5 (6 à 7*) minutes.
— Assaisonner, laisser
reposer 5 minutes et
servir.

*** Temps de cuisson pour la
recette double.**

TRUCS

**Pour peler les tomates sans
problèmes,**
les plonger dans de l'eau
bouillante et les y laisser
deux minutes. Retirer les
tomates et les plonger dans
un bol d'eau froide. À
l'aide d'un petit couteau,
enlever la peau.

Bifteck mariné

Complexité	🍴
Temps de préparation	15 min*
Coût par portion	**$**
Nombre de portions	6
Valeur nutritive	229 calories 33 g de protéines 5 mg de fer
Équivalences	3 oz de viande
Temps de cuisson	8 min
Temps de repos	5 min
Intensité	90 %
Inscrivez ici votre temps de cuisson	

* La viande doit macérer pendant au moins 24 heures.

Ingrédients

1 kg (2 1/4 lb) de bifteck de ronde tranché en 6
1 oignon moyen tranché
30 ml (2 c. à soupe) de ketchup
60 ml (4 c. à soupe) de jus de citron
le zeste d'un 1/2 citron
60 ml (4 c. à soupe) de sauce soja
2 ml (1/2 c. à thé) de thym
1 feuille de laurier
125 ml (1/2 tasse) d'eau ou de consommé
15 ml (1 c. à soupe) de fécule de maïs

Préparation

— Préparer une marinade avec l'oignon, le ketchup, le jus de citron et le zeste, la sauce soja, le thym et la feuille de laurier. Bien mélanger et y déposer le bifteck ; garder 1 heure à la température ambiante ou toute une nuit au réfrigérateur.
— Délayer la fécule de maïs avec l'eau ou le consommé.
— Retirer le bifteck de la marinade après macération ; ajouter la sauce.
— Déposer le tout dans un plat ; recouvrir et cuire 8 minutes à 90 % ; laisser reposer 5 minutes et servir.

Rassembler les ingrédients nécessaires à la préparation de ce plat raffiné mais sans prétention.

Mélanger tous les ingrédients de la marinade et y laisser le bifteck pendant 1 heure à la température ambiante, ou une nuit au réfrigérateur.

Délayer la fécule de maïs avec l'eau ou le consommé, pour obtenir une sauce plus épaisse.

Lorsque la viande est bien marinée, la retirer du bol et la faire cuire dans un autre plat.

Saucisses de bœuf

Complexité	🍴
Temps de préparation	5 min
Coût par portion	$
Nombre de portions	4
Valeur nutritive	569 calories 20,1 g de protéines 2,22 mg de fer
Équivalences	4 oz de viande 4 portions de gras 1 portion de pain
Temps de cuisson	8 min
Temps de repos	aucun
Intensité	90 %
Inscrivez ici votre temps de cuisson	

Ingrédients
12 saucisses de bœuf
350 g (12 oz) de pommes
de terre brunes
sel et poivre
10 ml (2 c. à thé) d'oignon
déshydraté
2 ml (1/2 c. à thé) de
moutarde sèche
250 ml (1 tasse) de cheddar
râpé

Préparation
— Avec une fourchette,
  piquer les saucisses à
  plusieurs endroits.
— Disposer les saucisses
  sur une clayette et cuire
  de 4 à 5 minutes à 90 %,
  en tournant la clayette à
  la mi-cuisson.
— Retirer les saucisses de
  la clayette.
— Déposer les pommes de
  terre dans un plat ; saler
  et poivrer ; ajouter les
  saucisses.
— Mélanger l'oignon, la
  moutarde sèche et le
  cheddar ; verser ce
  mélange sur les saucisses.
— Cuire de 2 à 3 minutes à
  90 %.

Langue de bœuf aux amandes

Complexité	
Temps de préparation	20 min
Coût par portion	$
Nombre de portions	10
Valeur nutritive	398 calories 27,7 g de protéines 3,1 mg de fer
Équivalences	4 oz de viande 2 portions de gras 1 portion de pain
Temps de cuisson	1 h 37 min
Temps de repos	aucun
Intensité	100 %, 90 %
Inscrivez ici votre temps de cuisson	

Ingrédients
1 langue de bœuf
45 ml (3 c. à soupe) de beurre
75 ml (1/3 tasse) d'amandes effilées
45 ml (3 c. à soupe) de farine
125 ml (4 oz) de consommé de bœuf chaud
60 ml (4 c. à soupe) de porto
15 ml (1 c. à soupe) de pâte de tomates
5 ml (1 c. à thé) de vinaigre de vin
1 pincée de cannelle
sel et poivre
60 ml (4 c. à soupe) de crème à 35 %
persil
750 ml (3 tasses) d'eau bouillante salée
30 ml (2 c. à soupe) d'huile

Préparation
— Fondre le beurre 40 secondes à 100 % ; ajouter les amandes et cuire à 100 % de 2 à 3 minutes, ou jusqu'à ce qu'elles soient rôties, en remuant à la mi-cuisson.
— Incorporer la farine et bien mélanger.
— Ajouter le bouillon de bœuf et le porto, puis cuire à 100 % de 1 à 1 1/2 minute, ou jusqu'à ce que le tout devienne épais.
— Ajouter le reste des ingrédients, sauf l'eau et l'huile ; cuire 1 minute à 100 % et réserver.
— Déposer la langue de bœuf dans un plat et la recouvrir d'eau.
— Couvrir et cuire 1 1/2 heure à 90 %, en tournant le plat 3 fois en cours de cuisson.
— Retirer la membrane qui recouvre la langue et couper celle-ci en tranches d'égale dimension.

— Préchauffer le plat à rôtir 7 minutes à 100 % ; ajouter l'huile, puis chauffer 30 secondes à 100 %.

— Saisir les tranches et les disposer dans une assiette de service.

— Réchauffer la sauce et en napper les tranches de langue avant de servir.

Rassembler les ingrédients nécessaires à la préparation de cette recette originale qui surprendra (agréablement) vos invités.

Cuire la langue 1 1/2 heure à 90 %, dans de l'eau bouillante salée.

Bœuf au poivron vert

Complexité	🍴
Temps de préparation	20 min
Coût par portion	$ $
Nombre de portions	6
Valeur nutritive	235 calories 28,9 g de protéines 4,5 mg de fer
Équivalences	3 oz de viande 2 portions de légumes
Temps de cuisson	15 min
Temps de repos	5 min
Intensité	100 %, 70 %
Inscrivez ici votre temps de cuisson	

Ingrédients

675 g (1 1/2 lb) de bœuf de surlonge coupé en lanières
75 ml (1/3 tasse) de sauce soja
30 ml (2 c. à soupe) de vin blanc sec ou de xérès
5 ml (1 c. à thé) de granules de bouillon de bœuf instantané
2 ml (1/2 c. à thé) de sucre
2 ml (1/2 c. à thé) de gingembre moulu
1 ml (1/4 c. à thé) de poudre d'ail ou d'ail émincé
poivre
1 gros poivron vert, en lanières
1 gros poivron rouge, en lanières
4 oignons verts en morceaux de 2,5 cm (1 po)
10 ml (2 c. à thé) de fécule de maïs
30 ml (2 c. à soupe) d'huile végétale
1 tomate coupée en pointes

Préparation

— Mélanger la sauce soja, le vin ou le xérès, les granules de bouillon, le sucre, le gingembre, la poudre d'ail et le poivre.
— Incorporer la fécule de maïs et brasser pour dissoudre. Mettre de côté.
— Chauffer le plat à rôtir 7 minutes à 100 % ; y mettre l'huile en prenant soin de la répartir uniformément ; poursuivre la cuisson à 100 % 30 secondes.
— Faire revenir le bœuf et brasser jusqu'à ce que le

grésillement cesse.
— Ajouter la sauce, les
  poivrons et l'oignon.
— Cuire à 100 % 6 à
  8 minutes, en brassant
  toutes les 3 minutes ou
  jusqu'à ce que les
  légumes soient cuits
  mais croquants et que
  la sauce devienne
  légèrement plus épaisse.
— Ajouter la tomate et
  laisser reposer 5 minutes.
  Servir.

*Cette recette facile à réaliser plaira
aux convives les plus exigeants.
Voici les ingrédients nécessaires à sa
réussite.*

TRUCS

Le surplus de poivron vert
peut facilement être
réutiliser pour d'autres
recettes. Il suffit de le
couper en dés et de le faire
congeler dans un sac de
plastique. S'en servir au
besoin pour rehausser la
saveur des œufs brouillés,
des potages ou des plats
en casserole.

Rognons de bœuf

Complexité	🍴🍴
Temps de préparation	25 min
Coût par portion	$
Nombre de portions	4
Valeur nutritive	464 calories 21,7 g de protéines 11,66 mg de fer
Équivalences	4 oz de viande 3 1/2 portions de gras
Temps de cuisson	22 min
Temps de repos	4 min
Intensité	50 %
Inscrivez ici votre temps de cuisson	

Ingrédients
2 rognons de bœuf,
équivalant à 1,1 kg
(2 1/2 lb)
115 g (1/4 lb) de lard
maigre
10 ml (2 c. à thé) de persil
15 ou 20 ml (3 ou 4 c. à thé)
de ciboulette
2 oignons verts coupés
1 gousse d'ail
poivre
30 ml (2 c. à soupe)
d'eau-de-vie

Préparation
— Couper les rognons
dans le sens de la
longueur et les tailler en
lanières.
— Étendre le lard au fond
d'un plat et ajouter les
rognons.
— Incorporer le persil, la
ciboulette, les oignons
verts, l'ail et le poivre.
— Couvrir et cuire de 18 à
22 minutes à 50 %, en
tournant le plat à la
mi-cuisson.
— Arroser d'eau-de-vie et
laisser reposer 4 minutes
avant de servir.

*Rassembler les ingrédients
nécessaires à la préparation de cette
recette qui fera la joie des amateurs
de rognons de bœuf.*

Couper les rognons dans le sens de la longueur et les tailler en lanières.

Disposer les lanières dans le plat, par-dessus le lard.

La cuisson terminée, arroser d'eau-de-vie et laisser reposer 4 minutes avant de servir.

Pain de viande à l'italienne

Complexité	
Temps de préparation	45 min
Coût par portion	$
Nombre de portions	4
Valeur nutritive	620 calories 48 g de protéines 6,7 mg de fer
Équivalences	5 oz de viande 2 portions de légumes
Temps de cuisson	14 min
Temps de repos	5 min
Intensité	100%, 70%
Inscrivez ici votre temps de cuisson	

Ingrédients

675 g (1 1/2 lb) de bœuf
haché maigre
125 ml (1/2 tasse) de
chapelure
450 ml (16 oz) de sauce
tomate
1 œuf
5 ml (1 c. à thé) d'origan
5 ml (1 c. à thé) de sel
1/2 ml (1/8 c. à thé) de
poivre
375 ml (1 1/2 tasse) de
mozzarella râpé
10 ml (2 c. à thé) de
parmesan râpé

Préparation

— Mélanger le bœuf, la
  chapelure, la moité de la
  sauce tomate et de
  l'origan, l'œuf, le sel et le
  poivre.
— Étendre sur du papier
  ciré et former un
  rectangle d'environ 1 cm
  d'épaisseur ; étendre le
  mozzarella et rouler à
  l'aide du papier ciré
  pour faire une bûche ;
  retirer le papier.
— Déposer dans un récipient
  et cuire 8 minutes à
  100 % ; tourner le plat,
  réduire l'intensité à 70 %
  et poursuivre la cuisson
  de 5 à 6 minutes.
— Verser l'autre moitié de
  sauce tomate et
  saupoudrer du reste
  d'origan et du parmesan.
— Couvrir ; laisser reposer
  5 minutes et servir.

Goulash

Ingrédients

450 g (1 lb) de bœuf haché maigre
125 ml (1/2 tasse) d'oignon haché
1 boîte de 796 ml (28 oz) de tomates entières
500 ml (2 tasses) de courgettes finement tranchées
375 ml (1 1/2 tasse) de macaroni cuit
125 ml (1/2 tasse) de poivron vert haché
1 boîte de 160 ml (5 1/2 oz) de pâte de tomates
5 ml (1 c. à thé) de sucre
2 ml (1/2 c. à thé) d'assaisonnement à l'italienne
1 ml (1/4 c. à thé) de poudre d'ail
1 ml (1/4 c. à thé) de sel
1 pincée de poivre
50 ml (1/4 tasse) de parmesan râpé

Complexité	🍴
Temps de préparation	15 min
Coût par portion	$
Nombre de portions	4
Valeur nutritive	401,3 calories 31,9 g de protéines 6,5 g de lipides
Équivalences	3,5 oz de viande 2 portions de légumes 1 portion de pain
Temps de cuisson	21 min
Temps de repos	5 min
Intensité	100 %
Inscrivez ici votre temps de cuisson	

Préparation

— Mettre l'oignon dans un plat, couvrir et cuire de 3 à 4 minutes à 100 %.
— Ajouter le bœuf et cuire à découvert à 100 %, de 4 à 5 minutes.
— Avec une fourchette, séparer la viande à 2 reprises.
— Ajouter tous les autres ingrédients, sauf le parmesan; bien mélanger.
— Couvrir et cuire de 10 à 12 minutes à 100 %, en remuant toutes les 2 minutes.
— Saupoudrer du parmesan, couvrir et laisser reposer 5 minutes avant de servir.

Bœuf mexicain

Complexité	🍴
Temps de préparation	5 min*
Coût par portion	**$**
Nombre de portions	4
Valeur nutritive	441 calories 39,1 g de protéines 6,1 mg de fer
Équivalences	5 oz de viande 1 portion de légumes 1/2 portion de pain
Temps de cuisson	10 min
Temps de repos	aucun
Intensité	100 %
Inscrivez ici votre temps de cuisson	

* Cette préparation doit être refroidie avant d'être consommée.

Ingrédients
450 g (1 lb) de bœuf haché
1 oignon haché
1 boîte de 410 ml (15 oz) de haricots rouges égouttés
50 ml (1/4 tasse) d'eau
35 ml (1 1/4 oz) d'assaisonnement pour tacos
1/2 laitue, effeuillée et hachée
2 tomates coupées en demi-quartiers
250 ml (1 tasse) de cheddar blanc râpé

Préparation
— Déposer le bœuf et l'oignon dans un plat ; couvrir et cuire de 5 à 6 minutes à 100 % ; séparer la viande avec une fourchette, à 2 reprises.
— Ajouter les haricots, l'eau et l'assaisonnement.
— Cuire de 3 à 4 minutes à 100 % ; laisser refroidir.
— Dans un bol, mélanger la laitue, les tomates et le fromage.
— Incorporer le mélange de viande à cette dernière préparation et servir.

Macaroni de grand-mère

Complexité	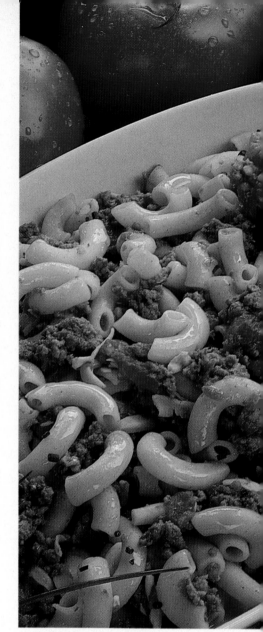
Temps de préparation	15 min
Coût par portion	$
Nombre de portions	6
Valeur nutritive	451 calories 26,3 g de protéines 4 mg de fer
Équivalences	3,5 oz de viande 1 portion de légumes 2 portions de pain
Temps de cuisson	15 min
Temps de repos	4 min
Intensité	100 %, 50 %
Inscrivez ici votre temps de cuisson	

Ingrédients
225 g (1/2 lb) de bœuf haché
225 g (1/2 lb) de macaroni coupés, cuits *al dente*
115 g (1/4 lb) de cheddar râpé
115 g (1/4 lb) de cheddar finement tranché
1 boîte de 796 ml (28 oz) de tomates
5 ml (1 c. à thé) de sucre
2 ml (1/2 c. à thé) de sarriette séchée
5 ml (1 c. à thé) de sauce Worcestershire
sel et poivre
2 œufs battus
250 ml (1 tasse) de lait

Préparation
— Déposer le bœuf haché dans un plat et cuire de 3 à 5 minutes à 100 %, en séparant la viande avec une fourchette en cours de cuisson.
— Incorporer les macaroni à la viande et réserver.
— Égoutter les tomates et réserver 175 ml (3/4 tasse) du jus ; hacher les tomates avec ce qui reste de jus.
— Incorporer le fromage râpé, le sucre, la sarriette, la sauce Worcestershire, le sel et le poivre.
— Verser cette préparation sur le mélange de viande et de macaroni et bien mélanger.
— Garnir de tranches de fromage.
— Dans un bol, mélanger les œufs et le lait, puis verser sur la préparation sans remuer.
— Diminuer l'intensité à 50 % et cuire de 8 à 10 minutes, ou jusqu'à ce que le fromage soit fondu.
— Laisser reposer 4 minutes avant de servir.

Rassembler les ingrédients nécessaires à la préparation de cette recette traditionnelle mais toujours appréciée.

Incorporer les macaroni cuits à la viande.

Verser le mélange de tomates et d'assaisonnements sur la viande et les macaroni.

Lasagne

Complexité	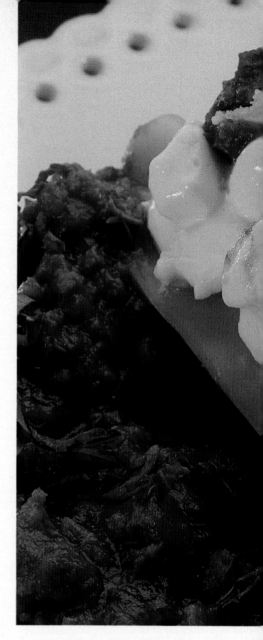
Temps de préparation	20 min
Coût par portion	$
Nombre de portions	6
Valeur nutritive	604 calories 48,4 g de protéines 4,27 mg de fer
Équivalences	4 oz de viande 1 portion de légumes 1 portion de gras 2 portions de pain 1/2 portion de lait
Temps de cuisson	25 min
Temps de repos	3 min
Intensité	50 %
Inscrivez ici votre temps de cuisson	

Ingrédients
450 g (1 lb) de bœuf haché maigre
410 ml (15 oz) de sauce tomate
125 ml (1/2 tasse) d'eau
225 g (1/2 lb) de pâtes à lasagne non cuites
500 ml (2 tasses) de ricotta
750 ml (3 tasses) de mozzarella râpé
125 ml (1/2 tasse) de parmesan râpé
persil, paprika

Préparation
— Déposer le bœuf dans un plat et cuire de 4 à 5 minutes à 100 %, en séparant la viande avec une fourchette à 2 reprises.
— Incorporer la sauce tomate et l'eau; bien mélanger.
— Dans un plat, déposer le tiers de la quantité de sauce obtenue; par la suite, superposer alternativement 2 rangs de pâtes, de sauce et de ricotta.
— Mélanger le mozzarella, le parmesan et le persil; étendre sur le dernier rang de sauce.
— Couvrir et cuire à 50 % de 18 à 22 minutes, ou jusqu'à ce que les pâtes soient cuites, en faisant pivoter le plat d'un demi-tour après 10 minutes.
— Découvrir et saupoudrer de paprika, puis cuire à nouveau à 50 % de 2 à 3 minutes.
— Laisser reposer 3 minutes avant de servir.

Rassembler les ingrédients nécessaires à la préparation de cette succulente lasagne, un plat économique et facile à préparer.

Cuire le bœuf haché et le déchiqueter avec une fourchette à 2 reprises.

Après avoir superposé alternativement les rangs de sauce, de pâtes et de ricotta, recouvrir le dessus du mélange de mozzarella, de parmesan et de persil.

89

Quiche à la hambourgeoise

Complexité	🍴
Temps de préparation	10 min
Coût par portion	**$**
Nombre de portions	4
Valeur nutritive	419 calories 24 g de protéines 3 mg de fer
Équivalences	4 oz de viande 1 portion de légumes 2 portions de gras
Temps de cuisson	10 min
Temps de repos	2 min
Intensité	100 %, 50 %, 70 %
Inscrivez ici votre temps de cuisson	

Ingrédients
225 g (1/2 lb) de bœuf haché
4 œufs battus
125 ml (1/2 tasse) d'oignons verts hachés
75 ml (1/3 tasse) de lait
75 ml (1/3 tasse) de mayonnaise
2 ml (1/2 c. à thé) de sel
1 pincée de poivre
175 ml (3/4 tasse) de cheddar râpé

Préparation
— Disposer le bœuf haché dans une assiette à tarte et cuire de 3 à 4 minutes à 100 %, en émiettant la viande avec une fourchette à la mi-cuisson.
— Bien séparer la viande; égoutter et réserver.
— Dans un bol, fouetter les œufs et incorporer les oignons verts, le lait et la mayonnaise; saler et poivrer.
— Verser le mélange obtenu sur le bœuf haché; bien mélanger.
— Surélever l'assiette et cuire 2 minutes à 50 %.
— À l'aide d'une fourchette, ramener le mélange cuit des extrémités de l'assiette vers le centre et laisser le liquide non cuit s'écouler sur le pourtour de l'assiette.
— Cuire à nouveau 2 minutes à 50 %; saupoudrer de cheddar râpé.
— Cuire à 70 % 2 minutes, ou jusqu'à ce que le fromage soit fondu et que le centre de la quiche soit cuit.
— Laisser reposer 2 minutes avant de servir.

Il suffit de ces quelques ingrédients pour préparer la quiche à la hambourgeoise, aussi savoureuse qu'économique.

TRUCS

Rien de plus simple que de préparer des œufs brouillés au four à micro-ondes. Dans un bol micro-ondes ou une tasse en verre, casser deux œufs et ajouter 30 ml (2 c. à soupe) de lait. Battre avec une fourchette et ajouter 10 ml (2 c. à thé) de beurre. Cuire de 2 à 2 1/2 minutes à 100 %, en remuant au moins 1 fois en cours de cuisson. Laisser reposer 1 minute pour terminer la cuisson et servir.

Timbale au bœuf

Complexité	🍴
Temps de préparation	10 min
Coût par portion	**$**
Nombre de portions	4
Valeur nutritive	283 calories 15,1 g de protéines 2,7 mg de fer
Équivalences	2 oz de viande 1 portion de légumes 1 portion de gras 1 portion de pain
Temps de cuisson	11 min
Temps de repos	aucun
Intensité	70 %, 100 %
Inscrivez ici votre temps de cuisson	

Ingrédients

225 g (1/2 lb) de bœuf haché
2 abaisses de tartelette de 7 cm (3 po), ou 2 timbales cuites
1 oignon haché
125 ml (1/2 tasse) de pois verts surgelés, décongelés
2 courgettes, pelées et tranchées

Préparation

— Cuire les abaisses, surélevées, de 4 à 5 minutes à 70 %, en tournant les assiettes à la mi-cuisson ; réserver.
— Dans un plat, déposer l'oignon ; couvrir et cuire 2 minutes à 100 %.
— Ajouter le bœuf haché et cuire de 3 à 4 minutes à 100 %, en l'émiettant à l'aide d'une fourchette en cours de cuisson.
— Incorporer les pois verts et les courgettes ; couvrir et cuire à 100 % de 4 à 5 minutes, ou jusqu'à ce que les légumes soient cuits.
— Verser le mélange obtenu dans les croûtes de tarte ou en recouvrir les timbales.
— Réchauffer 2 minutes à 100 %.

Cette recette, qui peut constituer une excellente entrée ou collation, peut être faite avec des abaisses de tartelette ou des timbales.

TRUCS

Disposition des boulettes pour la cuisson
On dispose les grosses boulettes en cercle sur une plaque à bacon peu profonde de 25 cm (10 po). Quant aux boulettes, elles doivent être alignées sur une clayette dans un plat rectangulaire peu profond de 30 cm X 20 cm (12 po X 8 po).

Bœuf à la niçoise

Complexité	🍴🍴
Temps de préparation	25 min
Coût par portion	**$**
Nombre de portions	8
Valeur nutritive	328 calories 32,4 g de protéines 5,25 mg de fer
Équivalences	3 oz de viande 1 portion de légumes 1 1/2 portion de gras
Temps de cuisson	1h14 min
Temps de repos	5 min
Intensité	100 %, 50 %
Inscrivez ici votre temps de cuisson	

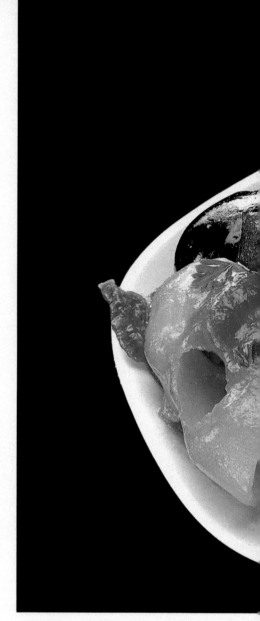

Ingrédients

900 g (2 lb) de bœuf à bouillir, taillé en cubes de 2,5 cm (1 po)
115 g (1/4 lb) de bacon maigre
15 ml (1 c. à soupe) d'huile
15 ml (1 c. à soupe) de beurre
4 oignons tranchés
2 gousses d'ail pilées
1 bouquet garni
45 ml (3 c. à soupe) de farine
250 ml (1 tasse) d'eau
250 ml (1 tasse) de vin rouge
30 ml (2 c. à soupe) de pâte de tomates
6 tomates pelées, broyées
1 cube de bouillon de bœuf
15 ml (1 c. à soupe) de persil haché
6 olives noires
sel et poivre

Préparation

— Couper les tranches de bacon, dans le sens de la longueur; disposer sur une plaque et cuire de 4 à 5 minutes à 100 %; réserver.
— Préchauffer le plat à rôtir 7 minutes à 100 %; ajouter l'huile et le beurre et chauffer 30 secondes à 100 %.
— Saisir les cubes de bœuf dans le plat à rôtir, puis les retirer et réserver.
— Ajouter l'oignon, l'ail et le bouquet garni; couvrir et cuire à 100 % de 3 à 4 minutes, ou jusqu'à ce que les oignons soient translucides.
— Saupoudrer de farine, ajouter l'eau, puis le vin.
— Cuire à 100 % de 4 à 5 minutes, ou jusqu'à consistance épaisse, en remuant toutes les 2 minutes.
— Incorporer la pâte de tomates, les tomates et le

cube de bouillon de
bœuf; bien mélanger et
assaisonner.
— Ajouter les cubes de
bœuf et le bacon cuits;
couvrir et cuire
30 minutes à 50 %.
— Remuer, et poursuivre la
cuisson à 50 %
30 minutes.
— Remuer à nouveau et
vérifier la tendreté des
cubes de bœuf;
poursuivre la cuisson s'il
y a lieu.
— Garnir du persil et des
olives noires et laisser
reposer 5 minutes avant
de servir.

*Rassembler les ingrédients
nécessaires à la préparation de ce
plat qui donnera une note nouvelle à
vos menus habituels.*

*Avant d'y verser le vin, ajouter l'eau
au mélange cuit d'oignon et d'ail.
Cuire ensuite jusqu'à consistance
épaisse.*

Saucisses de bœuf avec haricots

Complexité	![complexity icon]
Temps de préparation	5 min
Coût par portion	**$**
Nombre de portions	4
Valeur nutritive	480 calories 18,5 g de protéines 4,6 mg de fer
Équivalences	3 oz de viande 1 portion de pain 3 portions de gras
Temps de cuisson	6 min
Temps de repos	aucun
Intensité	90 %
Inscrivez ici votre temps de cuisson	![pencil and apple icon]

Ingrédients
6 à 8 saucisses de Francfort
1 boîte de 450 ml (16 oz) de fèves au lard
1 petit oignon, coupé en cubes
45 ml (3 c. à soupe) de ketchup
5 ml (1 c. à thé) de moutarde préparée
30 ml (2 c. à soupe) de cassonade foncée

Préparation
— Déposer les fèves au lard, l'oignon, le ketchup, la moutarde et la cassonade dans un plat ; bien mélanger.
— Couper les saucisses en quatre morceaux, en biseau, et les déposer sur les fèves.
— Couvrir et cuire à 90 % de 6 à 8 minutes, ou jusqu'à ce que les saucisses soient cuites.

Rassembler les ingrédients nécessaires à la préparation de ce plat simple et vite fait qui plaira sûrement aux enfants.

Mélanger tous les ingrédients, sauf les saucisses, jusqu'à obtention d'une consistance uniforme.

Couper les saucisses en quatre morceaux, en biseau.

Déposer les morceaux de saucisse sur le mélange, couvrir et cuire de 4 à 6 minutes.

Votre table d'hôte

Au menu
Salade d'épinards
Vol-au-vent au saumon
Cœur de bœuf
Pommes de terre au four
Salade de fruits

Le repas auquel on convie ses amis ou parents représente bien souvent un moment privilégié entre tous. Dans une atmosphère détendue, soutenue par une conversation agréable, qu'y a-t-il en effet de plus satisfaisant que de servir à ses convives des mets raffinés, que l'on a soi-même préparés? Toutefois, certains se sentent peu enclins à entreprendre la réalisation d'un tel repas, car ils redoutent les complications qui peuvent surgir lors des diverses étapes de sa préparation. Le manque de temps ou le manque d'expérience en art culinaire mettent souvent un frein aux meilleures intentions, surtout quand vient le moment de lancer les invitations!
Pourtant, il n'y a pas là de raison suffisante pour se priver de recevoir parents et amis.
Le menu que nous vous proposons est prévu pour huit convives. Il devrait vous convaincre qu'il est possible d'offrir à des invités un somptueux repas et de réussir en un minimum de complications et de temps.
Le cœur de bœuf, servi comme plat de résistance, provoquera sans doute un effet de surprise intéressant chez vos invités. Ce plat méconnu, accompagné en entrée de vol-au-vent et d'une salade d'épinards, sera sûrement très apprécié. Complété par une salade de fruits, ce menu satisfera les palais les plus exigeants.

De la recette à votre table
Pour éviter qu'un repas auquel sont conviés plusieurs amis ou parents ne devienne une corvée ou même un problème, il importe de bien le planifier. Un repas complet préparé au four à micro-ondes se planifie, il va sans dire, de la même façon que si l'on utilisait un four traditionnel. Seuls les temps de cuisson et de réchauffage changent.
2 heures avant le repas...
Préparer la salade d'épinards et la vinaigrette, mais verser celle-ci juste au moment de servir.
1 heure 30 minutes avant le repas...
Préparer la sauce au saumon accompagnant les vol-au-vent.
1 heure avant le repas
Préparer le cœur de bœuf.
30 minutes avant le repas
Préparer la salade de fruits.
10 minutes avant le repas...
Cuire les pommes de terre.
3 à 4 minutes avant le repas...
Réchauffer la sauce des vol-au-vent.
Juste avant de servir le cœur de bœuf...
Réchauffer le jus de cuisson du cœur et l'en napper.

Vol-au-vent au saumon

Ingrédients
60 ml (4 c. à soupe) de
beurre
125 ml (1/2 tasse) d'oignon
râpé
60 ml (4 c. à soupe) de
farine
750 ml (3 tasses) de lait
chaud
2 boîtes de 213 ml
(7 1/2 oz) de saumon
250 ml (1 tasse) de pois
250 ml (1 tasse) de carottes
sel et poivre
persil
8 petites timbales

Préparation
— Dans un plat, faire
   fondre le beurre
   1 minute à 100 %.
— Ajouter l'oignon râpé et
   cuire de 2 à 3 minutes à
   100 %.
— Ajouter la farine et bien
   mélanger puis incorporer
   la lait et fouetter le tout ;
   cuire à 100 % de 6 à
   8 minutes en fouettant
   toutes les 2 minutes.
— Incorporer le saumon,
   les pois et les carottes
   puis assaisonner ;
— Chauffer le tout de 3 à
   4 minutes à 100 % en
   remuant 1 fois.
— Servir sur des petites
   timbales.

Salade d'épinards

Ingrédients
500 ml (2 tasses) d'épinards
déchiquetés
250 ml (1 tasse) de chou,
taillé en filaments
125 ml (1/2 tasse) de
carottes râpées
50 ml (1/4 tasse) d'oignon
finement tranché
60 ml (4 c. à soupe) de
mayonnaise
22 ml (1 1/2 c. à soupe) de
vinaigre
15 ml (1 c. à soupe) de miel
sel et poivre

Préparation
— Mélanger les légumes
dans un plat ; couvrir et
réfrigérer.
— Pour préparer la
vinaigrette, mélanger
tous les autres ingrédients.
— Verser juste avant de
servir.

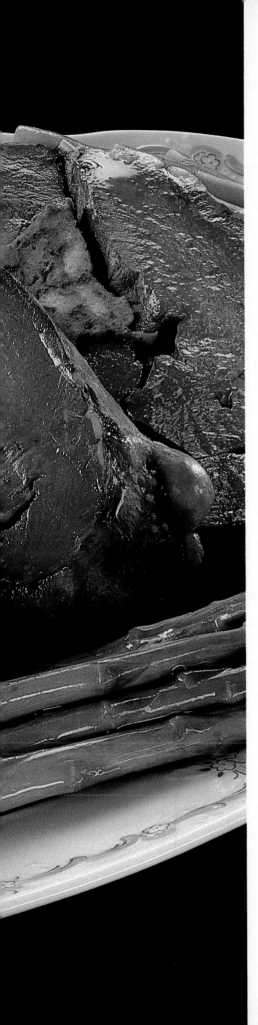

L'accord des vins

Qu'il s'agisse d'un repas frugal ou gargantuesque, le vin possède cet inestimable don de lui donner un éclat particulier. Il met en valeur les mets qu'il accompagne et en relève la saveur. Aujourd'hui, bien des libertés sont permises quant à la manière de marier vins et aliments. On remarquera cependant que le goût du vin peut s'altérer de manière appréciable avec certains mets auquel il s'unit. Un vin rouge fruité ou vigoureux prendra un goût métallique s'il escorte un poisson ou un fruit de mer, alors qu'une viande rouge pourrait, par exemple, en souligner la belle rondeur.

De manière générale, on aura tendance à déguster les vins blancs avec les viandes blanches, poissons et crustacés. Cependant, les vins rouges légers et délicats, peu chargés en tanin, conviendront tout à fait à la volaille, au veau et au porc. Les vins rouges plus corsés, riches en alcool, bien colorés et au caractère marqué, accompagneront les viandes rouges et les sauces à base de vin rouge. Si vous comptez ouvrir plus d'une bouteille pendant le repas, servez d'abord le vin plus jeune et tempéré, ensuite le plus vieux, ayant le caractère le plus marqué. Pour éviter que vin ou mets ne perdent leur particularité, vous pouvez combiner un vin au goût complexe et un mets au goût simple, ou alors un mets à saveur complexe et un vin au goût simple.

Un vin jeune et fruité qui s'accomode mieux d'un mets aigre-doux (à la fois salé et sucré).

Quant aux plats simples, ils s'adjoignent tout vin rouge moyennement corsé : avec certains côtes du rhône (gigondas, domaine de la meynarde), un bordeaux (saint-émilion), un zinfandel (vin rouge puissant et fruité de Californie).

Cœur de bœuf

Complexité	🍴🍴🍴
Temps de préparation	15 min
Coût par portion	$
Nombre de portions	8
Valeur nutritive	427 calories 40,6 g de protéines 7,73 mg de fer
Équivalences	4 oz de viande 3 portions de gras
Temps de cuisson	30 min
Temps de repos	10 min
Intensité	100 %, 70 %
Inscrivez ici votre temps de cuisson	

Ingrédients

1 cœur de bœuf de 900 g à 1,3 kg (2 à 3 lb)
125 ml (1/2 tasse) de mie de pain
15 ml (1 c. à soupe) de persil
5 ml (1 c. à thé) de marjolaine
le zeste d'un citron
muscade
sel et poivre
1 jaune d'œuf
30 ml (2 c. à soupe) de beurre fondu
125 ml (1/2 tasse) de vin rouge

Préparation

— Dans un bol, mélanger la mie de pain, le persil, la marjolaine, le zeste de citron, la muscade, le sel, le poivre et le jaune d'œuf.
— Farcir le cœur et le fermer avec du fil de cuisine pour qu'il conserve sa forme.
— Préchauffer le plat à rôtir 7 minutes à 100 % ; ajouter le beurre fondu et chauffer 30 secondes à 100 %.
— Saisir le cœur dans le plat, puis ajouter le vin.
— Couvrir et cuire de 28 à 30 minutes à 70 %, en tournant le plat à la mi-cuisson.
— Laisser reposer 10 minutes et couper le cœur en tranches ; napper du jus de cuisson avant de servir.

Pommes de terre au four

Ingrédients

8 pommes de terre entières, lavées et non pelées
120 ml (8 c. à soupe) de crème sure
40 ml (8 c. à thé) de ciboulette

Préparation

— Avec une fourchette, piquer chaque pomme de terre à plusieurs endroits pour éviter que la peau éclate.
— Disposer les pommes de terre dans un plat et cuire sans couvrir, de 10 à 12 minutes à 100 %, en faisant pivoter le plat d'un demi-tour à la mi-cuisson.
— Recouvrir les pommes de terre de papier d'aluminium, le côté brillant en dessous.
— Laisser reposer 5 minutes.
— Pendant ce temps, mélanger la crème sure et la ciboulette.
— Avec un couteau, fendre chaque pomme de terre, et verser environ 15 ml (1 c. à soupe) de crème dans l'ouverture pratiquée.

Salade de fruits

Ingrédients

4 cantaloups
1 l (4 tasses) de fruits au choix (oranges, raisins, fraises, cerises, bleuets)
227 ml (8 oz) de kirsch

Préparation

— Couper les cantaloups en moitiés et, au moyen d'une cuillère spéciale, les évider en prélevant des boules.
— Une fois évidés, les remplir des fruits choisis et des boules de cantaloup.
— Arroser le tout du jus des fruits et de kirsch.

Les mots du bœuf

À l'étouffée
ou à l'étuvée : Faire cuire, à couvert, un aliment à faible chaleur dans une quantité minimale de liquide et de gras, ou simplement dans son eau.

Aromate : Plante, feuille ou herbe qui possède une odeur vive et pénétrante que l'on utilise pour donner aux mets un goût délicat et agréable.
Ex. : safran, cerfeuil, estragon, laurier, thym.

Attendrir : Rendre moins fermes les viandes de boucherie en les laissant mariner, en les martelant ou en les piquant.

Beurre clarifié : Beurre fondu duquel, après repos, on n'a conservé que l'huile claire. Ainsi traité, le beurre reste frais plus longtemps et peut être amené sans fumer à des températures plus élevées que le beurre ordinaire.

Bouquet garni : Herbes et plantes aromatiques ficelées pour ne pas se répandre et servant à aromatiser les cuissons en sauce, les bouillons (tiges de persil, brindille de thym, feuilles de laurier, sarriette, sauge, branche de céleri, etc.).

Braiser : Faire cuire longtemps à feu doux dans une petite quantité de liquide, à couvert, afin de conserver les sucs des viandes.

Déglacer : Verser un liquide (eau, vin, crème, consommé, vinaigre) dans le récipient de cuisson (rissolage, cuisson au four) d'une viande afin d'en dissoudre les sucs et d'en préparer une sauce ou un jus.

Dorer : Faire revenir un aliment dans un corps gras (beurre, huile) très chaud afin qu'il brunisse légèrement.

Frémir : Chauffer, en parlant d'un liquide à la limite de l'ébullition.

Larder : Enfoncer dans une pièce de viande des bâtonnets de lard gras ou maigre, pour l'empêcher de sécher pendant la cuisson et la rendre plus savoureuse.

Liaison : Composition à base d'amidon, de jaunes d'œufs ou de roux, servant à donner plus de consistance à une sauce, un potage.

Mariner : Faire tremper pendant un certain temps, un aliment (viande, poisson, légume ou fruit) dans une marinade pour l'attendrir et le parfumer. On peut faire mariner une viande dans de l'huile et du vin, du vinaigre, du jus de citron ou de la sauce soja, de l'ail, de l'oignon, du persil, des herbes aromatiques, par exemple.

Napper : Couvrir un mets d'une sauce d'accompagnement.

Parfumer : Aromatiser un mets avec des herbes ou des essences.

Petit salé : Chair de porc salée, ou lard salé mi-gras (poitrine, jarret, échine).

Réduire : Faire évaporer par ébullition un liquide (sauce, jus) pour le concentrer et relever son goût, ou pour l'épaissir.

Rissoler : Faire sauter un aliment dans un corps gras (beurre ou huile) pour le faire dorer.

Roux : Mélange de farine et de beurre cuit servant de liaison dans la préparation de sauces. Il sera blanc, blond ou brun selon son temps de cuisson.

Truffe : Champignon souterrain très recherché, utilisé dans la préparation de différents mets : plats à base de viande, farces, boudin, pâtés de foie, sauces.

Velouté : Sauce faite d'un fond blanc ou d'un fumet lié avec un roux et servant à la préparation de nombreuses sauces.

Les appellations culinaires

À l'andalouse :　Apprêt à base de tomate, d'ail, d'oignons et de xérès.

À la grecque :　Apprêt à base d'huile d'olive et de jus de citron.

À l'italienne :　Apprêt à base de duxelles de champignons et de jambon.

À la provençale :　Apprêt à base d'ail, d'oignons, d'huile d'olive, de tomates, d'olives noires et de fines herbes.

Bercy :　Apprêt à base d'échalotes, de beurre et de vin blanc.

Bolognaise :　Apprêt à base de légumes et de viande de bœuf.

Chasseur :　Apprêt à base d'échalotes, de champignons, de sauce tomate et de vin blanc.

Colbert :　Apprêt à base de beurre, de jus de citron, de muscade, de cayenne et de madère.

Dauphinoise :　Apprêt à base d'œufs, de crème et de fromage.

Florentine :　Apprêt à base d'épinards, d'oignons et de vin blanc.

Lyonnaise :　Apprêt à base d'oignons, de beurre et de persil.

Normande :　Apprêt à base de pommes, de crème fraîche et de calvados.

Occitane :　Apprêt à base d'oignons, de tomates, d'ail et de lard.

Index

Ont collaboré à la Grande Collection
Micro-Ondes:

**Choix de recettes et assistance
technique:**
École de cuisine Bachand-Bissonnette
Conseillers culinaires:
Michèle Émond, Denis Bissonnette
Diététiste:
Christiane Barbeau
Photos:
Laramée Morel Communications
Audio-Visuelles
Assisté de: Robert Légaré
             Julie Léger
             Pierre Tison
             Alain Bosman
Stylisme:
Claudette Taillefer
Adjoints: Anne Gagné
         Nathalie Deslauriers
         Sylvain Lavoie
Accessoiristes: Andrée Cournoyer
Rédaction: Communications
           La Griffe Inc.
Révision des textes: Cap et bc inc.
Typographie:
Monique Magnan
Montage: Marc Vallières
            Vital Lapalme
            Carole Garon
            Jean-Pierre Larose
            Daniel Pelletier

Directeur de la production:
Gilles Chamberland
Illustrateur:
Luc Métivier
**Directeur artistique
et responsable du projet:**
Bernard Lamy
Conseillers spéciaux:
Roger Aubin
Joseph R. De Varennes
Gaston Lavoie
Kenneth H. Pearson
Réalisation:
Le Groupe Polygone Éditeurs Inc.

Les éditeurs de la Grande Collection
Micro-Ondes considèrent que les
informations qu'elle contient sont
exactes. Toutefois, la publication de
l'ouvrage n'entraîne aucune garantie
quant aux résultats des préparations
culinaires. De plus, les éditeurs
n'assument aucune responsabilité
concernant l'usage des
recommandations et indications
données.

Nous remercions les maisons
PIER 1 IMPORTS et LE CACHE POT
de leur participation à l'illustration
de cette encyclopédie.